別冊 the Quintessence

薬 YEARBOOK '21／'22

患者に聞かれても困らない！
歯科医師のための「薬」飲み合わせ完全マニュアル

監修：朝波惣一郎、王 宝禮、矢郷 香

降圧薬
糖尿病治療薬
抗血栓薬
脂質異常症治療薬
精神神経疾患治療薬
骨吸収抑制薬
抗アレルギー薬
呼吸器疾患治療薬
漢方薬

抗菌薬
抗炎症薬
鎮痛薬
抗真菌薬
抗ウイルス薬
局所麻酔薬
胃粘膜保護薬

クインテッセンス出版株式会社　2021

Berlin | Chicago | Tokyo
Barcelona | London | Milan | Mexico City | Moscow | Paris | Prague | Seoul | Warsaw
Beijing | Istanbul | Sao Paulo | Zagreb

クインテッセンス出版の書籍・雑誌は、歯学書専用
通販サイト『歯学書.COM』にてご購入いただけます。

PCからのアクセスは…

歯学書　検索

携帯電話からのアクセスは…
QRコードからモバイルサイトへ

刊行にあたって

　2019年12月に中国の武漢で発生した新型コロナウイルス（COVID-19）感染症が世界で猛威を振るい、いま現在（2021年7月15日時点）1億878万人の感染者と404万人の死亡者がいます。日本でも感染者82.8万人、死亡者1.5万人超えとなっています。世界と比較するとその数は少ないものの、東京では4度目の緊急事態宣言が発令されました。コロナ禍で開催に賛否両論ある中、7月23日より東京五輪が始まります。

　そんな折、令和元年（2019年）にリニューアルした本書がさらにグレードアップして、発刊の運びとなりました。

　目玉企画として、COVID-19感染症に関しての特集を設けました。連日、マスメディアでお目にかかる国際医療福祉大学医学部の松本哲哉先生にはCOVID-19の病態と感染様式を、東京歯科大学市川総合病院の寺嶋毅先生にはその薬物療法とワクチンについて執筆いただきました。また、PCRをはじめとして各種検査法とワクチンについての詳しい情報を国際医療福祉大学三田病院臨床検査科の先生方に依頼したところ、快くお引き受けいただきました。さらに当監修メンバーの一人である王宝禮先生に、歯科医院における手指・環境衛生におけるCOVID-19の有効な消毒薬について解説いただきました。

　今回の治療薬の選択にあたりましては、医療従事者のための最新医療ニュースをさまざまな情報・ツールを提供する医療総合サイト「QLife Pro」の処方ランキングをもとに"頻用される薬"をピックアップし、日常臨床に役立つよう使いやすくしました。高齢化も進んでいる最近の社会において、当然歯科を受診する患者も医科から種々な薬剤が投与されています。それらの薬物と歯科治療で処方される抗菌薬や消炎鎮痛薬との相互作用があります。併用により薬剤の効果を減弱させたり、作用を増強させることもあります。

　本書は臨床において多忙な先生方が、ぜひチェアサイドに置いて、ご愛読いただき、少しでもお役に立つことができれば、編者一同この上ない幸せであります。

2021年7月　緊急事態宣言の中、東京五輪開催を前に

監修者代表　朝波惣一郎

本書の構成

掲載薬：降圧薬・糖尿病治療薬・抗血栓薬・脂質異常症治療薬・精神神経疾患治療薬・骨吸収抑制薬・抗アレルギー薬・呼吸器疾患治療薬・漢方薬

① 併用禁忌の記載がある掲載薬の一覧を各掲載薬の扉に掲載

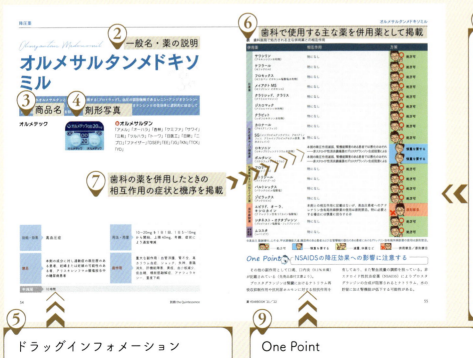

② 一般名・薬の説明
③ 商品名
④ 剤形写真
⑤ ドラッグインフォメーション（効能・効果、警告、禁忌、用法・用量、副作用、半減期）
⑥ 歯科で使用する主な薬を併用薬として掲載
⑦ 歯科の薬を併用したときの相互作用の症状と機序を掲載
⑧ 処方について4つの選択肢を提示

- 処方可
- 慎重を要する
- 減量・休薬など……対診して薬の減量、変更、あるいは処方を継続する等の相談を行う
- 併用禁忌

⑨ One Point　注意すべき相互作用、口腔内に現れることのある副作用などの情報を掲載

別冊 the Quintessence

処方せんの書き方

処方内容例：
- サワシリンカプセル（250mg）1回3カプセル1日3回　毎食後　3日分
- ロキソニン錠（60mg）1回1錠　疼痛時　頓用　3回分

〈上記のように1回の用量と用法を書く〉

服用時間の目安

	服用時間
食前	食事の約30分前に服用する
食後	食事を終えてから約30分以内に服用する
食直後	食事を終えてからすぐに服用する
食間	胃や小腸に食物がほとんどない，食後約2時間前後に服用する
時間間隔	薬物の血中濃度を一定以上に維持する必要がある場合で，一定時間ごとに服用する
就寝前	就寝前に服用する

1．処方せんの分類
　院外処方せん：医師から患者経由で薬剤師に手渡される処方せん
　院内処方せん：医師から直接薬剤師に手渡される処方せん
2．処方せんに記載すべきこと
- 保険者番号
- 被保険者証の番号，記号
- 患者氏名，年齢，性別
- 薬名（商品名でかつ錠，カプセルなどの剤形も記載）
- 分量（○○mg）
- 用法，剤形（1回1錠，1日3回，毎食後，3日分など）
- 処方せん交付年月日
- 処方せん使用期間
- 病院の名称と住所
- 医師の住所，氏名，捺印

※記載は様式第2号の処方せんに記載する．

知っておきたい患者への投薬の説明ポイント

検査、確定、投薬を基本に

内科医は症状に対して、問診、可能なかぎり検査を行い、確定診断をし、薬物を投与する。さまざまな情報のもと、薬物を選択していく。

5つのR

安全な薬物療法を行うためには、基本的な5つのR（確認事項）がある。この5つのどれが欠けても、患者に何らかの健康被害が発生する可能性がある。
① right patient: 正しい患者か？
② right drug: 正しい薬、正しい剤型、正しい規格かどうか？
③ right dose: 正しい投与量、投与期間か？
④ right time: 正しい投与時間か？
⑤ right route: 正しい投与経路か？

妊婦、授乳婦、新生児、小児、高齢者の投薬の基本的注意点

①妊婦と授乳婦の対応
妊婦に伴う生理的変化、胎児への影響（催奇形性）、胎児への薬の移行、母乳への薬の移行を考慮する。

②新生児と小児の対応
成長する過程で、薬の体内動態に影響を与える生理機能が大きく変動する。
薬の味の悪さや量の多さ、さらに舌触りの悪さなどが服用拒否の原因となるので、投与の工夫が必要となる。

③高齢者の対応
薬の効き目が予想より強く現れたり、薬物有害反応が現れやすくなるため、投与時には十分に観察する。
睡眠・鎮静薬や高血圧薬などを服用している患者については、転倒・転落の防止策を講じる。服用する薬の種類と数の増加に伴う混乱を最小限にするために、治療薬の種類を最小限にする。
服用している薬をすべて把握し、重複投与や薬物相互作用の防止に努める。

抗菌薬の適正使用の3つの基本的概念

①個人防衛的な観点
感染病態をできるだけ早期に診断し、原因菌を的確に捉え、原因菌に抗菌力を示す薬剤の中からもっとも抗菌力の高い薬剤を選択することが必要である。

②集団防衛的な観点
耐性菌蔓延対策をいかに抑制し、現有抗菌薬の寿命をいかに延ばすかという点が課題である。

③社会防衛的な観点
医療資源の浪費を最小限にする。

歯科医師としての副作用（有害作用）の考え方

副作用と一口にいっても、命に関わるような重大なものから、口渇、眠くなるといったものまである。患者のQOLを考えると、どんな軽い副作用もないがしろにはできないが、治療効果とのバランスで、どうしても副作用が軽いものは我慢していただかな

薬を飲む4つのタイミングの説明
- ●食後……食事直後からその後30分くらいまでの間のことをいいます。30分経っていなくても飲んでもらってかまいません。
- ●食前……食事の30分くらい前のことをいいます。また漢方薬は食事の1時間前くらいに飲むのがもっとも効果的といわれています。
- ●食直前……食事の5分前から食事をするその瞬間までの間のことをいいます。たとえば食事3分前でもかまいません。薬によっては食事10分前からというものもありますが、当院では5分前に統一して説明しています。
- ●食間……食事して2時間程度経ったころのことをいいます。食事の途中ということではありません。

患者さんに伝える、薬を飲むときの注意事項
- ・薬はできるだけ水か白湯で飲みましょう。お茶、ジュース、牛乳などで飲むと薬によってはその効果を弱めたり、逆に強めたりする場合があります。
- ・最近は口腔内崩壊錠（水なしで服用できる錠剤）がありますが、食道に停滞させないため、水で服用したほうがよいと思われます。
- ・錠剤、カプセルが大きくて飲めないなどの理由で勝手に錠剤を砕いたり、カプセルを外して飲むのは控えてください。一部の薬は効果を持続させるために製造する際に特別な工夫がされていて、薬を破壊することでその効果に影響を与える場合があります。
- ・飲みにくい薬があるときは、薬剤師にそのことをお伝えください。
- ・服用するときの姿勢も大切であり、ベッドで寝ている場合は、可能なかぎり上半身を起こして服用し、食道や咽頭に薬が詰まるのを防ぐ必要があります。

薬を飲み忘れたときの3つの説明
- ●基本的には飲み忘れに早い段階で気づいたときはすぐ飲むようにし、次の薬を飲む時間が近いときは1回飲むのをやめるようにしてください。
- ●一度に2回分飲んではいけません。また、食後に飲んでも効果のほとんどない薬などもあり、飲み忘れ時の対応には例外も存在します。
- ●個々の薬がどれにあてはまるかは、薬剤師にご相談ください。

副作用を防止する5つのポイント
① 決められた用法用量をきちんと守らせること。
② 処方された薬以外は勝手に服用しないこと。
③ 万一飲み忘れたとしても、あわてて2回分服用しないこと。
④ 患者の体質（アレルギーや胃腸障害）を事前に問診よりキャッチする。
⑤ 患者とのコミュニケーションに努める。

ければならない場合もある。また、軽度の副作用は飲み続けているうちになくなることもある。そのため食事の直後に飲んでみるといった工夫や、薬の休薬や減量や変更することも考えてみる。他科診療で多剤薬の投与を受けているときは、他科との連携を考え処方していく。

薬の分類表

降圧薬

主な降圧薬とその分類	主な一般名
カルシウム拮抗薬	
ジヒドロピリジン系	[第一世代] ニカルジピン塩酸塩、ニフェジピン [第二世代] ベニジピン塩酸塩、マニジピン塩酸塩 [第三世代] アゼルニジピン、アムロジピンベシル酸塩
ベンゾチアゼピン系	ジルチアゼム塩酸塩
レニン・アンジオテンシン（RA）系阻害薬	
アンジオテンシンⅡ受容体拮抗薬（ARB）	オルメサルタンメドキソミル、カンデサルタンシレキセチル、テルミサルタン、バルサルタン、ロサルタンカリウム
アンジオテンシン変換酵素（ACE）阻害薬	エナラプリルマレイン酸塩、リシノプリル水和物、イミダプリル塩酸塩
直接的レニン阻害薬	アリスキレンフマル酸塩
利尿薬	
サイアザイド利尿薬	トリクロルメチアジド、ヒドロクロロチアジド
サイアザイド類似利尿薬	インダパミド、トリパミド
ループ利尿薬	フロセミド
カリウム保持性利尿薬・アルドステロン拮抗薬	エプレレノン、スピロノラクトン
β遮断薬	アテノロール、ビソプロロールフマル酸塩、メトプロロール酒石酸塩
α遮断薬	ドキサゾシンメシル酸塩
αβ遮断薬	カルベジロール
中枢性交感神経抑制薬	メチルドパ水和物
血管拡張薬	ヒドララジン塩酸塩

糖尿病治療薬

主な糖尿病治療薬とその分類			主な一般名
インスリン抵抗性改善系	ビグアナイド薬		メトホルミン塩酸塩、ブホルミン塩酸塩
	チアゾリジン薬		ピオグリタゾン塩酸塩
インスリン分泌促進系	スルホニル尿素（SU）薬	経口	[第一世代] アセトヘキサミド [第二世代] グリクラジド、グリベンクラミド [第三世代] グリメピリド
	速効型インスリン分泌促進薬（グリニド薬）		ナテグリニド、ミチグリニドカルシウム水和物、レパグリニド
	DPP-4 阻害薬		シタグリプチンリン酸塩水和物、ビルダグリプチン
	GLP-1 受容体作動薬	注	エキセナチド、リキシセナチド、リラグルチド
糖吸収・排泄促進系	α-グルコシダーゼ阻害薬（α-GI）	経口	アカルボース、ボグリボース、ミグリトール
	SGLT2 阻害薬		イプラグリフロジン L-プロリン、ルセオグリフロジン水和物
インスリン製剤	インスリンアナログ		インスリン アスパルト、インスリン グラルギン、インスリン デグルデク、インスリン リスプロ
	ヒトインスリン	注	インスリン ヒト、イソフェンインスリン ヒト、二相性イソフェンインスリン ヒト

抗血栓薬

主な抗血栓薬とその分類		主な一般名
抗凝固薬		
クマリン系薬	経口	ワルファリンカリウム
直接トロンビン阻害薬		ダビガトランエテキシラートメタンスルホン酸塩
選択的直接作用型第 Xa 因子阻害剤		リバーロキサバン、アピキサバン、エドキサバントシル酸水和物
ヘパリン製剤──未分画ヘパリン	非経口	
──低分子量ヘパリン		ダルテパリン、エノキサパリン
抗トロンビン剤		アルガトロバン
ヘパリノイド		ダナパロイドナトリウム
合成 Xa 阻害剤		フォンダパリヌクスナトリウム
抗血小板薬		
シクロオキシゲナーゼ阻害薬	経口	アスピリン、アスピリン・ダイアルミネート
ADP 受容体阻害薬		［第一世代］チクロピジン塩酸塩 ［第二世代］クロピドグレル硫酸塩 ［第三世代］プラスグレル塩酸塩
PDE 阻害薬		シロスタゾール、ジピリダモール
イコサペンタエン酸（EPA）製剤		イコサペント酸エチル
5-HT$_2$ 受容体阻害薬		サルポグレラート塩酸塩、トラピジル
プロスタグランジン製剤		ベラプロストナトリウム、リマプロスト アルファデクス
シクロペンチルトリアゾロピリミジン群		チカグレロル
血栓溶解薬		
組織型プラスミノゲンアクチベータ（t-PA 薬）	非経口	アルテプラーゼ、モンテプラーゼ
ウロキナーゼ型プラスミノゲンアクチベータ（u-PA 薬）		ウロキナーゼ

「科学的根拠に基づく抗血栓療法患者の抜歯に関するガイドライン 2015 年改訂版」より引用改変

脂質異常症（高脂血症）治療薬

主な脂質異常症治療薬とその分類	主な一般名
HMG-CoA 還元酵素阻害薬（スタチン）	
スタンダードスタチン	シンバスタチン、プラバスタチンナトリウム、フルバスタチンナトリウム
ストロングスタチン	アトルバスタチンカルシウム水和物、ピタバスタチンカルシウム水和物、ロスバスタチンカルシウム
陰イオン交換樹脂（レジン）	クエストラン、コレバイン
小腸コレステロールトランスポーター阻害薬	エゼチミブ
フィブラート	フェノフィブラート、ベザフィブラート
ニコチン酸誘導体	トコフェロール、ニコモール、ニセリトロール
プロブコール	プロブコール
多価不飽和脂肪酸	イコサペント酸エチル、オメガ-3 脂肪酸エチル

薬の分類表

精神神経疾患治療薬

主な抗うつ薬・抗不安薬・睡眠薬・抗精神病薬とその分類			主な一般名
抗うつ薬	第一世代	三環系（TCA）	イミプラミン塩酸塩、ノルトリプチリン塩酸塩
	第二世代	アモキサピン	アモキサピン
		四環系	マプロチリン塩酸塩、ミアンセリン塩酸塩
	選択的セロトニン再取り込み阻害薬（SSRI）		パロキセチン塩酸塩水和物、フルボキサミンマレイン酸塩、塩酸セルトラリン、エスシタロプラムシュウ酸塩
	セロトニン・ノルアドレナリン再取り込み阻害薬（SNRI）		デュロキセチン塩酸塩、ミルナシプラン塩酸塩、ベンラファキシン塩酸塩
	その他		スルピリド、トラゾドン、ミルタザピン
ベンゾジアゼピン系抗不安薬	分類	半減期	
	短時間型	≦6時間	エチゾラム、クロチアゼパム、フルタゾラム
	中間型	12〜24時間	アルプラゾラム、ブロマゼパム、ロラゼパム
	長時間型	≧24時間	オキサゾラム、クロキサゾラム、クロラゼプ酸ニカリウム、クロルジアゼポキシド、ジアゼパム、フルジアゼパム、メキサゾラム、メダゼパム
	超長時間型	≧90時間	フルトプラゼパム、ロフラゼプ酸エチル
	非ベンゾジアゼピン（アザピロン）系抗不安薬		
		≦6時間	タンドスピロンクエン酸塩
睡眠薬	ベンゾジアゼピン系	半減期	
	超短時間型	2〜4時間	トリアゾラム
	短時間型	6〜10時間	ブロチゾラム、リルマザホン、ロルメタゼパム
	中間型	20〜30時間	ニトラゼパム、フルニトラゼパム、エスタゾラム
	長時間型	30〜100時間	クアゼパム、ハロキサゾラム、フルラゼパム
	非ベンゾジアゼピン系		
	超短時間型		ゾピクロン、エスゾピクロン、ゾルピデム
	メラトニン受容体作動薬		ラメルテオン
	オレキシン受容体作動薬		スボレキサント
抗精神病薬	ベンザミド系	半減期	
	短時間型	6.1時間	スルピリド

骨吸収抑制薬

主な骨吸収抑制薬とその分類		主な一般名
ビスホスホネート		
	第一世代	エチドロン酸ニナトリウム
	第二世代	パミドロン酸ニナトリウム水和物、アレンドロン酸ナトリウム水和物、イバンドロン酸ナトリウム水和物
	第三世代	リセドロン酸ナトリウム水和物、ミノドロン酸水和物、ゾレドロン酸水和物
抗RANKL抗体		
		デノスマブ

薬の分類表

抗アレルギー薬

主な抗アレルギー薬とその分類		主な一般名
ケミカルメディエーター遊離抑制薬		クロモグリク酸ナトリウム、トラニラスト
ヒスタミン H_1 受容体拮抗薬		
第一世代	鎮静性	ジフェンヒドラミン、dl-クロルフェニラミンマレイン酸塩、プロメタジン塩酸塩
第二世代	軽度鎮静性	ケトチフェンフマル酸塩、アゼラスチン塩酸塩
	非鎮静性	フェキソフェナジン塩酸塩、ロラタジン、エピナスチン塩酸塩
トロンボキサン A_2（TXA_2）阻害薬		
TXA_2 合成阻害薬		オザグレル塩酸塩水和物
TXA_2 受容体拮抗薬		セラトロダスト、ラマトロバン
ロイコトリエン受容体拮抗薬		モンテルカストナトリウム、プランルカスト
Th2 サイトカイン阻害薬		スプラタストトシル酸塩

呼吸器疾患治療薬

主な気管支喘息薬・気管支拡張薬とその分類	主な一般名
テオフィリン薬	テオフィリン、ジプロフィリン、アミノフィリン
テオフィリン薬配合剤	プロキシフィリン配合、ジプロフィリン配合
抗コリン薬	イプラトロピウム臭化物水和物、臭化オキシトロピウム、チオトロピウム臭化物水和物
β 刺激薬	エフェドリン塩酸塩、dl-メチルエフェドリン塩酸塩
$β_2$ 刺激薬	プロカテロール塩酸塩水和物、サルメテロールキシナホ酸塩

主な鎮咳薬・去痰薬・呼吸障害改善薬とその分類	主な一般名
中枢性麻薬性鎮咳薬	コデインリン酸塩水和物、ジヒドロコデインリン酸塩
中枢性非麻薬性鎮咳薬	チペピジンヒベンズ酸塩、デキストロメトルファン臭化水素酸塩水和物
気道粘液溶解薬	アセチルシステイン、ブロムヘキシン塩酸塩
気道粘液修復薬	カルボシステイン
気道潤滑薬	アンブロキソール塩酸塩
気道分泌細胞正常化薬	フドステイン
刺激性去痰薬	サポニン系製剤、桜皮エキス
末梢性呼吸刺激薬	ドキサプラム塩酸塩水和物
中枢性呼吸刺激薬	ジモルホラミン
肺線維化抑制薬	ピルフェニドン

目次

刊行にあたって　　5
本書の構成　　6
処方せんの書き方　　7
知っておきたい患者への投薬の説明ポイント　　8
薬の分類表　　10
製品画像提供元企業一覧　　22

特集

歯科医院はCOVID-19感染症にどう備えるべきか

特集1　歯科医師が知っておきたいCOVID-19の基礎知識

Part 1
COVID-19から身を守るためにその病態、感染様式を知る
松本哲哉　　24

Part 2
COVID-19に対する薬物療法およびワクチン最新情報
寺嶋 毅　　30

Part 3
COVID-19における各種検査法
西田秀史／髙山美奈／佐藤良平　　36

特集2　COVID-19に対する歯科医院の感染対策

歯科医院におけるCOVID-19への手指・環境衛生および治療時への有効な消毒剤
王 宝禮　　41

降圧薬　　47

アジルサルタン　　48
アジルサルタン・アムロジピンベシル酸塩配合　　50
アムロジピンベシル酸塩　　52
オルメサルタンメドキソミル　　54
オルメサルタンメドキソミル・アゼルニジピン　　56
カルベジロール　　58
カンデサルタンシレキセチル　　60
シルニジピン　　62
テルミサルタン　　64
ニフェジピン　　66
バルサルタン　　68
バルサルタン・アムロジピンベシル酸塩　　70
ビソプロロールフマル酸塩　　72
マニジピン塩酸塩　　74

糖尿病治療薬　77

アカルボース	78
インスリン製剤	80
グリクラジド	82
グリメピリド	84
シタグリプチンリン酸塩水和物	86
ナテグリニド	88
ピオグリタゾン塩酸塩	90
ビルダグリプチン	92
ボグリボース	94
ミグリトール	96
メトホルミン塩酸塩	98

抗血栓薬　101

アスピリン	102
アスピリン・ダイアルミネート	104
アピキサバン	106
エドキサバントシル酸塩水和物	108
クロピドグレル硫酸塩	110
シロスタゾール	112
ダビガトランエテキシラートメタンスルホン酸塩	114
チクロピジン塩酸塩	116
プラスグレル塩酸塩	118
リバーロキサバン	120
ワルファリンカリウム	122

脂質異常症治療薬　125

アトルバスタチンカルシウム水和物	126
イコサペント酸エチル	128
エゼチミブ	130
オメガ-3脂肪酸エチル	132
プラバスタチンナトリウム	134
ベザフィブラート	136
ロスバスタチンカルシウム	138

精神神経疾患治療薬　141
（抗精神病薬／抗うつ薬／抗不安薬／睡眠薬）

アルプラゾラム	142
エスシタロプラムシュウ酸塩	144
エスゾピクロン	146
エチゾラム	148
クロチアゼパム	150
スボレキサント	152
スルピリド	154
ゾルピデム酒石酸塩	156
デュロキセチン塩酸塩	158
パロキセチン塩酸塩水和物	160
ブロチゾラム	162
ラメルテオン	164
ロラゼパム	166

目次

骨吸収抑制薬　169

アレンドロン酸ナトリウム水和物	170
イバンドロン酸ナトリウム水和物	172
デノスマブ	174
ミノドロン酸水和物	176
リセドロン酸ナトリウム水和物	178

抗アレルギー薬　181

ビラスチン	182
フェキソフェナジン塩酸塩	184
レボセチリジン塩酸塩	186

呼吸器疾患治療薬　189

カルボシステイン	190
クロモグリク酸ナトリウム	192
ジヒドロコデインリン酸塩、dl-メチルエフェドリン塩酸塩、クロルフェニラミンマレイン酸塩	194
チペピジンヒベンズ酸塩	196
デキストロメトルファン臭化水素酸塩水和物	198
ブデソニド・ホルモテロールフマル酸塩水和物	200
モンテルカストナトリウム	202

漢方薬　205

監修者プロフィール　210

商品名目次

後：後発薬（ジェネリック医薬品）

ア

アカルボース後「サワイ」「テバ」「日医工」「ファイザー」「JG」「NS」「TCK」「YD」................... 78（糖尿）
アストマリ後 ....198（呼吸）
アスファネート後 .... 104（抗血栓）
アスピリン腸溶錠後「トーワ」「日医工」「ファイザー」「JG」「ZE」................... 102（抗血栓）
アーチスト .... 58（降圧）
アクトス .... 90（糖尿）
アクトネル .... 178（骨吸収抑制）
アジルバ .... 48（降圧）
アスベリン ....196（呼吸）
アダラート .... 66（降圧）
アテレック .... 62（降圧）
アトルバスタチン後「アメル」「杏林」「ケミファ」「サワイ」「サンド」「トーワ」「日医工」「モチダ」「DSEP」「EE」「JG」「KN」「Me」「NP」「NS」「TCK」「TSU」「TYK」「YD」「ZE」......126（脂質）
アピドラ .... 80（糖尿）
アマリール .... 84（糖尿）
アムロジン .... 52（降圧）
アムロジピン後「あすか」「アメル」「イセイ」「オーハラ」「科研」「ガレン」「杏林」「クニヒロ」「ケミファ」「コーワ」「サワイ」「サンド」「タイヨー」「タカタ」「武田テバ」「タナベ」「ツルハラ」「トーワ」「日医工」「フソー」「明治」「BMD」「CH」「DSEP」「EMEC」「F」「JG」「KN」「NP」「NS」「QQ」「TCK」「TYK」「YD」「ZE」................................... 52（降圧）
アムバロ後「アメル」「イセイ」「オーハラ」「科研」「杏林」「ケミファ」「サワイ」「サンド」「タナベ」「テバ」「トーワ」「日医工」「日新」「ニットー」「ニプロ」「ファイザー」「DSEP」「EE」「FFP」「JG」「KN」「SN」「TCK」「YD」.................... 70（降圧）
アルプラゾラム後「アメル」「サワイ」「トーワ」................... 142（抗不安）
アレグラ .... 184（抗アレルギー）
アレンドロン酸後「アメル」「サワイ」「テバ」「トーワ」「日医工」「ファイザー」「DK」「F」「HK」「JG」「RTO」「SN」「TCK」「YD」................... 170（骨吸収抑制）

イ

イグザレルト .... 120（抗血栓）
イコサペント酸エチル後「杏林」「サワイ」「トーワ」「日医工」「日本臓器」「フソー」「CH」「Hp」「JG」「TBP」「YD」................... 128（脂質）
イコサペント酸エチル後「MJT」... 128（脂質）
イコサペント酸エチル粒状後「杏林」「サワイ」「日医工」「日本臓器」「TC」「TCK」................... 128（脂質）
インタール ....192（呼吸）
茵蔯蒿湯（インチンコウトウ）............... 208（漢方）

エ

エクア .... 92（糖尿）
エゼチミブ後「アメル」「杏林」「ケミファ」「サワイ」「サンド」「武田テバ」「トーワ」「日医工」「日新」「ニプロ」「フェルゼン」「明治」「JG」「KMP」「KN」「TCK」「TE」「YD」...... 130（脂質）
エチゾラム後「アメル」「オーハラ」「クニヒロ」「武田テバ」「ツルハラ」「トーワ」「日医工」「日新」「フジナガ」「EMEC」「JG」「KN」「NP」「SW」「TCK」................... 148（抗不安）
エックスフォージ ....70（降圧）
エパデール ....128（脂質）
エパデールS ....128（脂質）
エフィエント .... 118（抗血栓）
エリキュース .... 106（抗血栓）

オ

黄連湯（オウレントウ）................... 208（漢方）
オルメサルタン後「アメル」「オーハラ」「杏林」「ケミファ」「サワイ」「三和」「ツルハラ」「トーワ」「日医工」「日新」「ニプロ」「ファイザー」「DSEP」「EE」「JG」「KN」「TCK」「YD」................... 54（降圧）
オルメテック .... 54（降圧）

カ

葛根湯（カッコントウ）................... 208（漢方）
カルスロット .... 74（降圧）

商品名目次

カルベジロール㊡「アメル」「サワイ」「タナベ」「テバ」「トーワ」「ファイザー」「JG」「Me」「TCK」.................. 58（降圧）
カルボシステイン㊡「サワイ」「タカタ」「ツルハラ」「テバ」「トーワ」「JG」「TCK」................................ 190（呼吸）
カンデサルタン㊡「アメル」「オーハラ」「科研」「杏林」「ケミファ」「サノフィ」「サワイ」「サンド」「三和」「ゼリア」「タナベ」「ツルハラ」「テバ」「トーワ」「日医工」「日新」「ニプロ」「ファイザー」「明治」「モチダ」「BMD」「DK」「DSEP」「EE」「FFP」「JG」「KN」「KO」「KOG」「TCK」「YD」「ZE」...... 60（降圧）

キ
キプレス .... 202（呼吸）

ク
グラクティブ .... 86（糖尿）
グリクラジド㊡「サワイ」「トーワ」「日新」「NP」.. 82（糖尿）
グリコラン .... 98（糖尿）
グリミクロン .... 82（糖尿）
グリメピリド㊡「アメル」「オーハラ」「科研」「杏林」「ケミファ」「サワイ」「サンド」「三和」「タナベ」「テバ」「トーワ」「日医工」「日新」「ファイザー」「フェルゼン」「AA」「AFP」「EMEC」「FFP」「JG」「KN」「Me」「NP」「TCK」「TYK」「YD」「ZE」.. 84（糖尿）
グルコバイ .... 78（糖尿）
クレストール .... 138（脂質）
クロチアゼパム㊡「サワイ」「ツルハラ」「トーワ」「日医工」.. .... 150（抗不安）
クロピドグレル㊡「アメル」「科研」「クニヒロ」「杏林」「ケミファ」「サワイ」「サンド」「三和」「タナベ」「ツルハラ」「テバ」「トーワ」「日新」「ニットー」「ニプロ」「ファイザー」「フェルゼン」「明治」「モチダ」「AA」「DK」「EE」「FFP」「JG」「KN」「KO」「SN」「TCK」「YD」「ZE」.............................. 110（抗血栓）
クロフェドリンS錠 .... 194（呼吸）
クロフェドリンSシロップ㊡.................. 194（呼吸）
クロモグリク酸Na㊡「アメル」「サワイ」「武田テバ」「TCK」.. 192（呼吸）

コ
五苓散（ゴレイサン）........................... 208（漢方）
コンスタン .... 142（抗不安）

サ
ザイザル .... 186（抗アレルギー）
サインバルタ .... 158（抗うつ）
ザクラス .... 50（降圧）

シ
シムビコート .... 200（呼吸）
ジャヌビア .... 86（糖尿）
シルニジピン㊡「サワイ」「タイヨー」「テバ」「AFP」「FFP」「JG」.. 62（降圧）
シロスタゾール㊡「オーハラ」「ケミファ」「サワイ」「ダイト」「タカタ」「ツルハラ」「テバ」「トーワ」「日医工」「マイラン」「JG」「KN」「KO」「SN」「YD」........................ 112（抗血栓）
シロスレット㊡ .... 112（抗血栓）
芍薬甘草湯（シャクヤクカンゾウトウ）... 208（漢方）
十全大補湯（ジュウゼンタイホトウ）...... 208（漢方）
小柴胡湯（ショウサイコトウ）................ 207（漢方）
シングレア .... 202（呼吸）

ス
スターシス .... 88（糖尿）
スルピリド㊡「アメル」「サワイ」「トーワ」「CH」「TCK」「TYK」.. 154（抗精神）

セ
セイブル .... 96（糖尿）
ゼチーア .... 130（脂質）
セパミット㊡ .... 66（降圧）

ソ
ソラナックス .... 142（抗不安）
ゾルピデム酒石酸塩㊡「アメル」「オーハラ」「杏林」「クニヒロ」「ケミファ」「サワイ」「サンド」「タカタ」「テバ」「トーワ」「日医工」「日新」「ファイザー」「明治」「モチダ」「AA」「AFP」「DK」「DSEP」「EE」「F」「JG」「KMP」「KN」「NP」「NPI」「TCK」「YD」「ZE」.. 156（睡眠）

チ
チクロピジン塩酸塩㊡「杏林」「サワイ」「ツルハラ」「トーワ」「日医工」「NP」「YD」........................... 116（抗血栓）

テ
ディオバン .... 68（降圧）
デキストロメトルファン臭化水素酸塩㊡「トーワ」「日医工」「NP」.. 198（呼吸）
デパス .... 148（抗不安）
テルミサルタン㊡「オーハラ」「杏林」「ケミファ」「サワイ」「サンド」「三和」「武田テバ」「タナベ」「ツルハラ」「トーワ」「日医工」「ニプロ」「ファイザー」「フェルゼン」「明治」「DSEP」「EE」「FFP」「JG」「KN」「NPI」「TCK」「YD」.............. 64（降圧）

ト
ドグマチール .... 154（抗精神）
トレシーバ .... 80（糖尿）

ナ
ナテグリニド「テバ」「日医工」後 .... 88（糖尿）

ニ
ニチコデ散後 .... 194（呼吸）
ニトギス後 .... 104（抗血栓）
ニフェジピン後「サワイ」「ツルハラ」「テバ」「TC」..........
.... 66（降圧）

ノ
ノボラピッド .... 80（糖尿）
ノボリン .... 80（糖尿）
ノルバスク .... 52（降圧）

ハ
バイアスピリン後 .... 102（抗血栓）
排膿散及湯（ハイノウサンキュウトウ） .... 208（漢方）
パキシル .... 160（抗うつ）
パキシル CR .... 160（抗うつ）
バッサミン後 .... 104（抗血栓）
パナルジン .... 116（抗血栓）
バファリン後 .... 104（抗血栓）
バルサルタン後「アメル」「イセイ」「オーハラ」「科研」「杏林」「ケミファ」「サノフィ」「サワイ」「サンド」「タカタ」「タナベ」「ツルハラ」「テバ」「トーワ」「日医工」「日新」「ニプロ」「ファイザー」「モチダ」「BMD」「DK」「DSEP」「EE」「FFP」「JG」「KN」「Me」「NPI」「SN」「TCK」「YD」「ZE」............. 68（降圧）
パロキセチン後「アメル」「オーハラ」「科研」「ケミファ」「サワイ」「サンド」「タカタ」「タナベ」「テバ」「トーワ」「日医工」「日新」「ファイザー」「フェルゼン」「明治」「AA」「DK」「DSEP」「EE」「FFP」「JG」「KN」「NP」「NPI」「TCK」「TSU」「YD」..........
.... 160（抗うつ）
半夏瀉心湯（ハンゲシャシントウ） .... 208（漢方）

ヒ
ピオグリタゾン後「アメル」「オーハラ」「杏林」「ケミファ」「興和テバ」「サワイ」「サンド」「タイヨー」「タカタ」「武田テバ」「タナベ」「トーワ」「日医工」「ファイザー」「モチダ」「DSEP」「EE」「FFP」「JG」「MEEK」「NP」「NPI」「NS」「TCK」「TSU」「ZE」
.... 90（糖尿）
ビソノテープ .... 72（降圧）

ビソプロロールフマル酸塩後「サワイ」「サンド」「テバ」「トーワ」「日医工」「日新」「JG」「ZE」.................. 72（降圧）
白虎加人参湯（ビャッコカニンジントウ） .... 208（漢方）
ビラノア .... 182（抗アレルギー）

フ
ファスティック .... 88（糖尿）
ファモター後 .... 104（抗血栓）
フェキソフェナジン塩酸塩後「アメル」「杏林」「ケミファ」「サワイ」「三和」「ダイト」「タカタ」「ツルハラ」「トーワ」「日新」「ファイザー」「明治」「モチダ」「BMD」「CEO」「DK」「EE」「FFP」「JG」「KN」「NP」「TCK」「TOA」「YD」「ZE」.. 184（抗アレルギー）
フォサマック .... 170（骨吸収抑制）
フスコデ .... 194（呼吸）
フスコブロン後 .... 194（呼吸）
ブデホル後「ニプロ」「JG」「MYL」................... 200（呼吸）
プラコデ後 .... 194（呼吸）
プラザキサ .... 114（抗血栓）
プラバスタチン Na 後「アメル」「オーハラ」「杏林」「ケミファ」「サワイ」「チョーセイ」「テバ」「トーワ」「フソー」「CMX」「KN」「Me」「MED」「NS」「TCK」「YD」............. 134（脂質）
プラバスタチン Na 塩後「タナベ」................... 134（脂質）
プラバスタチンナトリウム後「ツルハラ」「日医工」「ファイザー」「NikP」「NP」... 134（脂質）
プラビックス .... 110（抗血栓）
プラリア .... 174（骨吸収抑制）
プレタール .... 112（抗血栓）
ブロチゾラム後「アメル」「オーハラ」「サワイ」「テバ」「トーワ」「日医工」「日新」「ヨシトミ」「AFP」「CH」「EMEC」「JG」「TCK」「YD」... 162（睡眠）
ブロプレス .... 60（降圧）

ヘ
ベイスン .... 94（糖尿）
ベザトール SR .... 136（脂質）
ベザフィブラート SR 後「サワイ」「日医工」........ 136（脂質）
ベザフィブラート徐放後「武田テバ」「トーワ」「AFP」「JG」「ZE」
.... 136（脂質）
ベネット .... 178（骨吸収抑制）
ベルソムラ .... 152（睡眠）

商品名目次

ホ
ボグリボース㊡ 「杏林」「ケミファ」「サワイ」「タカタ」「武田テバ」「トーワ」「日医工」「ファイザー」「マイラン」「JG」「MED」「MEEK」「NP」「NS」「OME」「QQ」「TCK」「YD」... 94（糖尿）
補中益気湯（ホチュウエッキトウ）...................... 208（漢方）
ボナロン... 170（骨吸収抑制）
ボノテオ... 176（骨吸収抑制）
ボンビバ... 172（骨吸収抑制）

マ
マイスリー... 156（睡眠）
マニジピン塩酸塩㊡「サワイ」「タイヨー」「トーワ」「日医工」「日新」「JG」「YD」.. 74（降圧）

ミ
ミカルディス... 64（降圧）
ミグリトール㊡「サワイ」「トーワ」「JG」.............. 96（糖尿）
ミデナール L ㊡..................................... 136（脂質）
ミノドロン酸㊡「あゆみ」「サワイ」「武田テバ」「トーワ」「日医工」「ニプロ」「三笠」「JG」「YD」............ 176（骨吸収抑制）

ム
ムコダイン... 190（呼吸）
ムコプロチン㊡....................................... 194（呼吸）

メ
メインテート... 72（降圧）
メジコン... 198（呼吸）
メトグルコ... 98（糖尿）
メトホルミン塩酸塩㊡「トーワ」「SN」................. 98（糖尿）
メトホルミン塩酸塩MT㊡「三和」「トーワ」「日医工」「ニプロ」「ファイザー」「DSEP」「JG」「TCK」「TE」.................. 98（糖尿）
メバレクト㊡... 134（脂質）
メバロチン... 134（脂質）

モ
モンテルカスト㊡「アスペン」「オーハラ」「科研」「ケミファ」「サワイ」「サンド」「三和」「ゼリア」「タカタ」「タナベ」「武田テバ」「ツルハラ」「トーワ」「日医工」「日新」「ニットー」「ニプロ」「日本臓器」「ファイザー」「フェルゼン」「明治」「AA」「CEO」「CMX」「DSEP」「EE」「JG」「KM」「KN」「KO」「SN」「TCK」「YD」... 202（呼吸）

ラ
ライゾデグ... 80（糖尿）
ライトゲン... 194（呼吸）
ランタス... 80（糖尿）
ランマーク... 174（骨吸収抑制）

リ
リーゼ... 150（抗不安）
リカルボン... 176（骨吸収抑制）
リクシアナ... 108（抗血栓）
リセドロン酸Na㊡「杏林」「興和テバ」「サワイ」「サンド」「タカタ」「タナベ」「トーワ」「日医工」「日新」「ファイザー」「明治」「ユートク」「F」「FFP」「JG」「NP」「SN」「YD」「ZE」... 178（骨吸収抑制）
リセドロン酸ナトリウム㊡「ケミファ」........ 178（骨吸収抑制）
立効散（リッコウサン）............................... 208（漢方）
リピトール... 126（脂質）

ル
ルムジェブ... 80（糖尿）
ルネスタ... 146（睡眠）

レ
レクサプロ... 144（抗うつ）
レザルタス... 56（降圧）
レベミル... 80（糖尿）
レボセチリジン塩酸塩㊡「アメル」「杏林」「サワイ」「サンド」「タカタ」「武田テバ」「トーワ」「日医工」「日新」「ニプロ」「日本臓器」「フェルゼン」「明治」「CEO」「JG」「KMP」「KN」「TCK」「YD」.. 186（抗アレルギー）
レンドルミン... 162（睡眠）

ロ
ロスバスタチン㊡「アメル」「オーハラ」「科研」「共創未来」「杏林」「ケミファ」「サワイ」「サンド」「三和」「ゼリア」「タカタ」「武田テバ」「ツルハラ」「トーワ」「日医工」「日新」「ニプロ」「ファイザー」「明治」「フェルゼン」「DSEP」「EE」「JG」「MEEK」「TCK」「YD」... 138（脂質）
ロゼレム... 164（睡眠）
ロトリガ... 132（脂質）
ロラゼパム㊡「サワイ」............................... 166（抗不安）

商品名目次

ワーファリン .... 122（抗血栓）
ワイパックス .... 166（抗不安）
ワルファリンK「テバ」「トーワ」「日新」「F」「NP」..............
.... 122（抗血栓）
ワルファリンK㉠「NS」「YD」 .... 122（抗血栓）

製品画像提供元企業一覧

- アステラス製薬株式会社
- アストラゼネカ株式会社
- ヴィアトリス製薬株式会社
- EAファーマ株式会社
- エーザイ株式会社
- MSD株式会社
- 大塚製薬株式会社
- 小野薬品工業株式会社
- オルガノン株式会社
- キッセイ薬品工業株式会社
- 杏林製薬株式会社
- キョーリンリメディオ株式会社
- グラクソ・スミスクライン株式会社
- クリニジェン株式会社
- サノフィ株式会社
- 株式会社三和化学研究所
- 塩野義製薬株式会社
- 第一三共株式会社
- 大日本住友製薬株式会社
- 大鵬薬品工業株式会社
- 武田テバ薬品株式会社
- 武田薬品工業株式会社
- 田辺三菱製薬株式会社
- 中外製薬株式会社
- 帝人ファーマ株式会社
- 東和薬品株式会社
- トーアエイヨー株式会社
- 日医工株式会社
- ニプロESファーマ株式会社
- 日本イーライリリー株式会社
- 日本新薬株式会社
- 日本ベーリンガーインゲルハイム株式会社
- ノバルティスファーマ株式会社
- ノボ ノルディスク ファーマ株式会社
- バイエル薬品株式会社
- ファイザー株式会社
- ブリストル・マイヤーズ スクイブ株式会社
- マイランEPD合同会社
- 持田製薬株式会社

（五十音順、敬称略）

- 薬の効能・効果、禁忌・副作用などの情報は、2018年12月から2021年1月までの先発品の添付文書、また用法・用量は成人に基づき記載しております。記載内容に製薬会社は一切関与しておりません。
- 提供される医薬品情報には常に改訂が加えられています。薬の適正使用にあたりましては、必ず各医薬品の最新の添付文書をご参照ください。
- 各企業より提供されました画像は出版時点のものであり、製品外観は予告なく変更される可能性、また製品が予告なく販売中止される可能性があります。必ず各社提供の最新の製品情報をご参照ください。

特集

歯科医院はCOVID-19感染症にどう備えるべきか

特集1　歯科医師が知っておきたいCOVID-19の基礎知識

Part 1
COVID-19から身を守るためにその病態、感染様式を知る　　　（P24）

松本哲哉
国際医療福祉大学医学部感染症学講座／同大学成田病院感染制御部

Part 2
COVID-19に対する薬物療法およびワクチン最新情報　　　（P30）

寺嶋 毅
東京歯科大学市川総合病院呼吸器内科

Part 3
COVID-19における各種検査法　　　（P36）

西田秀史／髙山美奈／佐藤良平
国際医療福祉大学三田病院臨床検査科

特集2　COVID-19に対する歯科医院の感染対策

歯科医院におけるCOVID-19への手指・環境衛生および治療時への有効な消毒剤　　　（P41）

王 宝禮
大阪歯科大学歯科医学教育開発センター

注）本稿は2021年6月25日執筆時点のものです。COVID-19をめぐる状況は日々刻々と変化しており、つねに最新情報を確認し、ご判断してください。

特集―歯科医院はCOVID-19感染症にどう備えるべきか

特集1　歯科医師が知っておきたいCOVID-19の基礎知識

Part1
COVID-19から身を守るためにその病態、感染様式を知る

松本哲哉

国際医療福祉大学医学部感染症学講座／*同大学成田病院感染制御部
*連絡先：〒286-8520　千葉県成田市畑ケ田852

はじめに

新型コロナウイルス感染症（COVID-19）は新型コロナウイルス（severe acute respiratory syndrome coronavirus 2：SARS-CoV-2）による感染症である。このウイルスの感染拡大により2021年6月の時点において、すでに世界で約1億8,000万人が感染し、約400万人が死亡している。2019年に中国の武漢から広がったこの感染症はパンデミックを起こし、世界を恐怖と混乱に陥れている。ただし、このウイルスの特徴や感染症の病態が解明されることで私たちはCOVID-19と立ち向かうことができるようになり、診断、治療、予防、感染対策のいずれの点においても進歩がみられている。本稿ではこれまでに明らかになったこの感染症の病態や感染様式について解説を行う。

1. ウイルス学的特徴

新型コロナウイルスは一本鎖RNAウイルスであり、ゲノムサイズは約3万塩基の大型ウイルスである。直径は約100nmで、球状の形態で表面にスパイク状の突起を有する。電子顕微鏡による観察でこの突起が冠（crown）に形状が似ているため、ギリシャ語の"corona"に基づいてコロナウイルスと名付けられている。構造としてはウイルス内部にRNA遺伝

遺伝子：一本鎖のプラス鎖RNA
内部構造：N蛋白質とウイルスゲノムRNAが結合したヌクレオカプシドが存在
外部構造：エンベロープがあり、Sタンパク以外にEタンパク、Mタンパクがある
Sタンパク：ヒトの細胞上のACE2レセプターと結合

図1　新型コロナウイルスの特徴。SARS-CoV-2が細胞に結合するために必要なSタンパクはウイルス表面に存在し、ワクチンや抗体のターゲットとなっている。

特集1　歯科医師が知っておきたいCOVID-19の基礎知識

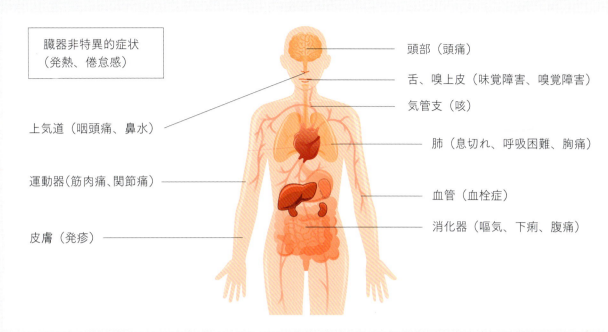

図2　COVID-19の各臓器に関連した代表的な症状。COVID-19では主な感染部位である気道や肺に関連した症状が多くみられるが、それ以外にも各種の臓器に影響を及ぼし、さまざまな症状をもたらす。

子とN蛋白が結合したヌクレオカプシドが存在し、その周囲をエンベロープという殻で取り囲まれている。エンベロープ表面にはS蛋白が存在し、宿主細胞のレセプターであるACE2と結合する（図1）。細胞内にウイルスゲノムが入り込んで複製が始まるが、その際にRNAポリメラーゼが作用する。ACE2は気道や肺の上皮細胞だけでなく、血管内皮細胞や各種臓器で発現している。

新型コロナウイルス以外にコロナウイルスのグループに含まれるのは、4種類の風邪のコロナウイルス、重症急性呼吸器症候群コロナウイルス（SARS-CoV）、中東呼吸器症候群コロナウイルス（MERS-CoV）であり、いずれも呼吸器系の感染を起こす。

2. COVID-19の病態

感染臓器と進展

COVID-19は基本的にヒトの気道系で増殖するため、主に上気道炎を発症する。さらにウイルスが肺に移行して増殖すれば、肺炎となる。ただし、前述のように新型コロナウイルスはS蛋白を介してACE2に結合するため、ACE2を発現している各臓器に感染しうる。たとえば呼吸器系以外の細胞であっても腸管上皮細胞などでも増殖する。また、血管内皮細胞で増殖した場合は、血管炎を起こし、凝固系の異常も重なって血栓症を発症しやすくなる。全身に感染が進展すれば、炎症も高度となり、サイトカインの過剰産生によりサイトカインストームを引き起こす。

臨床経過

COVID-19の潜伏期間は2〜14日間であり、平均約5日間となる。無症状のまま経過する症例も少なくなく、その場合は本人も感染したことを自覚しないまま過ごしていると考えられる。

COVID-19に多くみられる症状として、発熱、咳、咽頭痛、筋肉痛、関節痛、頭痛、胸痛などがある（図2）。これらの症状は感冒などでもみられるため、症状による鑑別は困難である。また、比較的特徴的な症状として味覚障害や嗅覚障害があるが、これらの症状を有していたとしても診断が確定できるわけではない。

特集―歯科医院はCOVID-19感染症にどう備えるべきか

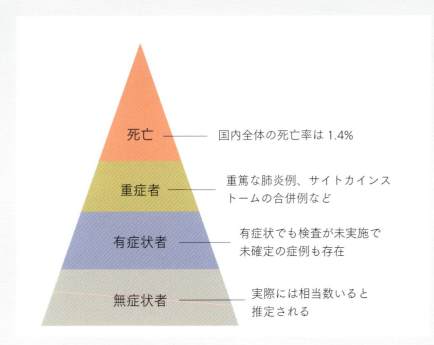

図3 COVID-19の重症度による違い。死亡率については、60歳以上の基礎疾患のある患者の致死率は12.8％と高くなる。重症の定義は、①集中治療室（ICU）で治療、②人工呼吸器を使用、③体外式膜型人工肺（ECMO）を使用のいずれかに該当する場合であるが、自治体により異なる場合がある。

　肺炎例においても発症後1週間程度は通常の上気道炎の症状を呈しながら経過し、その後、息切れ、呼吸困難などの症状がみられる場合が多い[1]。肺炎は短時間で急激に悪化する場合が少なくなく、頻呼吸やチアノーゼなど重症化の徴候が認められる。さらにサイトカインストームを合併した場合は、ショックにともなう意識レベルの低下などを認める。加えて血栓症を合併した場合は、脳梗塞や心筋梗塞など塞栓症を起こした各臓器にともなう症状や所見が認められる[2]。

重症化

　COVID-19は急に重症化する例も多く、タイミングを逸すると適切な治療ができなくなるため、とくにリスクが高い症例では慎重に経過を見守る必要がある（図3）。重症化のリスク因子としては、高齢、慢性の呼吸器疾患、腎臓病、糖尿病、高血圧、心疾患、肥満、妊娠などが挙げられるが、中でも重症化しやすい明らかな要因は年齢であり、60代、70代、80代と高齢になるにつれて致死率も高くなる[1]。高齢者は各種の基礎疾患を有している例が多く、さらに免疫能も低下していることが理由と考えられる。

　一方、若年層は重症化しにくい傾向が認められ、とくに10歳未満では発症する例も少ないと考えられる。ただし、変異株の拡大にともない状況は変化しており、若年層であっても高度な肺炎に至る例は稀でなく、10歳未満でもクラスターが発生する例が増加している。

3. COVID-19の感染様式

主な感染経路

　基本的にCOVID-19の感染経路として、当初より接触感染と飛沫感染が重視されてきた。ただし、米国CDCは、科学的事実に基づく環境からの感染リスク[3]として以下のように述べている。人は汚染表面に接触することで、新型コロナウイルスに感染する可能性がある。しかし、これまでの疫学データや研究によると、環境表面からの感染は主な経路とは言えず、そのリスクは低いと考えられる。人が新型コロナウイルスに感染する主な経路は、飛沫への曝露である。すなわち、接触感染と飛沫感染を比較すれば、飛沫感染による感染リスクの方がかなり高いと考えられる。

特集1　歯科医師が知っておきたいCOVID-19の基礎知識

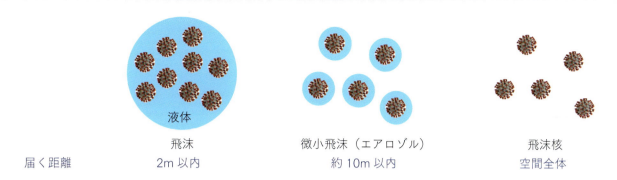

図4　飛沫、微小飛沫、飛沫核のイメージ。ウイルス粒子を含む気道分泌物は飛沫と微小飛沫（エアロゾル）に分かれる。微小飛沫とエアロゾルを区別して扱う場合もあるが、現時点では両者を明確に分けることは困難である。ウイルス周囲の水分が蒸発してウイルス粒子単独になれば飛沫核となる。

接触感染	飛沫感染	微小飛沫（エアロゾル）感染	空気感染
感染者との直接接触または汚染環境	感染者の咳やくしゃみ	咳、くしゃみ、会話、歌	飛沫核
中リスク	高リスク	高リスク	稀

図5　新型コロナウイルスの感染経路と位置付け。感染経路としては、飛沫感染と微小飛沫（エアロゾル）による感染のリスクが高いととらえられている。接触感染のリスクはそれらに比べると低くなる。なお、飛沫核の状態で新型コロナウイルスが拡散して空気感染を起こす可能性について否定はできないが、頻度としては稀であると考えられる。

　さらに米国CDCは新型コロナウイルスの主な伝播様式について、①微小飛沫あるいはエアロゾルの吸入、②口、鼻、目の粘膜への飛沫の付着、③ウイルスが付着した手指による粘膜への接触の3つを挙げている。ここで述べられている飛沫（droplet）、微小飛沫（very fine respiratory droplets）、エアロゾル（aerosol particles）については、明確にその定義が定められているわけではない。飛沫は径が$5\mu m$以上の大きさを有しており、微小飛沫やエアロゾルは$5\mu m$以下の小さな粒子であることは間違いないが、小ささの程度もかなり幅があると考えられる（図4）。マスコミなどではエアロゾルをマイクロ飛沫といった表現で述べているものもあるが、これも定義が定まっているわけではなく、飛沫よりも小型の微粒子と考えるのがわかりやすいと思われる。

接触による感染
　新型コロナウイルスに曝露されるリスクを考えた場合、接触感染が起こるのは感染者との直接接触感染か、汚染した物を介した間接接触感染が考えられる（図5）。どちらにしてもウイルスは皮膚、とくに手指に付着する可能性が高いが、皮膚に新型コロナウイルスが付着しただけでは感染は成立しない。
　皮膚表面の新型コロナウイルスは角質層が存在するために、細胞内に侵入することはできず増殖できないためである。

しかし、手指にウイルスが付着した状態で口、鼻、目の粘膜を触れば、粘膜表面にウイルスが付着して粘膜細胞で増殖することが可能となる。そのため、手指消毒が重要になるとともに、手で口、鼻、目を触らないようにする必要がある。

飛沫による感染

飛沫はその重さゆえに、秒から分単位で地面に落下し、届く範囲は2m程度である。飛沫は粒子が大きいためマスクにより遮断される。そのため、マスクを着用していれば対面に人が居たとしても口から飛び出した飛沫が相手に届くことはない。もし感染者がマスクを着用していなければ、2m以内で向かい合っている人には飛沫が届く可能性がある。その際の飛沫の到達部位は口や鼻の場合が多いが、目に飛沫が付着した場合でも感染が成立する。そのため、目の粘膜を覆うフェイスシールドやガーグルの装着が感染対策上は有用である。

微小飛沫やエアロゾルによる感染

微小飛沫やエアロゾルは粒子が飛沫より小さいため、分単位あるいは時間単位で空気中を漂うことができ、10m程度の距離まで届くと考えられている。これらの小さな粒子はマスクを着用していたとしても、その隙間から漏れ出てくる可能性があり、それが空気中を浮遊する。非感染者はマスクを着用していても隙間からウイルスを吸い込む可能性もある。密閉された空間で、感染者が長時間、大声でしゃべり続けたりすれば、その空間を漂うウイルス量も多くなるため、全員がマスクを着用していたとしても感染が成立し、クラスターが発生する。

微小飛沫やエアロゾルによる感染を防ぐためには、まず換気を徹底させることである。さらに会話をなるべく少なくし、部屋に滞在する時間を短くすることなどの工夫も必要となる。もちろん、マスクは吐き出したりして吸い込むウイルスの量を減らすことはできるので、常に着用していることが重要である。

空気感染の可能性

微小飛沫やエアロゾルが10m程度の距離まで届くということであれば、部屋が狭ければ空間全体に広がる可能性があるため、空気感染に類似した感染形態を取り得ることになる。これをもとに新型コロナウイルスに対して、空気感染予防策を適応すべきという意見もあるが、現時点において、明確に空気感染予防策の対象となっているのは、結核、麻疹、水痘のみであり、新型コロナウイルス感染症は対象とはなっていない。すなわち、空気感染予防策を適応するのであれば、患者は全例、陰圧個室に入院していただき、対応するスタッフは常にN95マスクの着用が求められる。ただし、これまで国内外で多くの患者に対して、空気感染予防策が適応されていない状況下でも、院内などでのクラスターがあちらこちらで発生するようなことは起こっていない。これらの事実をもとに空気感染のリスクをまったく否定するものではないが、新型コロナウイルスの感染者に対応する際に、空気感染予防策を常に適応することは求められていないと考える。

4. COVID-19から身を守るために

標準予防策の徹底

標準予防策とは、誰もが感染している可能性があるという判断に基づいて、患者に接する場合は全員を対象として必要な感染予防策を実施する考え方である。すでに述べたように新型コロナウイルスは無症状の感染者が少なくないこと、さらに無症状であっても他者に感染させる可能性があることを考慮すると、この標準予防策の考え方がとくに当てはまる感染症と考えられる。そのため、医療従事者は誰と接する場合でもマスクを着用している必要がある。また、患者にも常にマスクを着用してもらい、感染リスクを下げることが求められる（ユニバーサル・マスキング）[4]。

手指衛生についても、患者への直接接触があればもちろん、高頻度接触部位など汚染されている可能性に触った場合は、アルコール含有の擦式消毒薬

特集1　歯科医師が知っておきたいCOVID-19の基礎知識

を用いて消毒を行う必要がある[5]。タイミングを逃さず手指消毒を行えるよう、院内でも必要と思われる場所には消毒薬の設置を行っておくことが望ましい。

微小飛沫やエアロゾルへの対応

上記の標準予防策だけではカバーできない可能性があるのが、微小飛沫やエアロゾルへの対応である。これまでの研究において、感染者が有するウイルス量には個人差が大きく、無症状であっても大量のウイルスを保有している感染者が存在することが明らかとなっている。そのような人は自らも感染を意識することなく、スーパースプレッダーになり得る。そのため、感染対策上、空間を意識した対策を行う必要がある。とくに重要なのは換気であるが、さらになるべく患者に対応する部屋は広い場所を選び、同室の時間を短くし、同時に部屋にいる人の人数を減らす、大きな声を出さない、あるいは会話は最小限にする、などの対応が必要である。

検査の活用

本疾患は無症状の感染者が存在するため、感染の有無を確認するためには検査を行うしかない。COVID-19の検査法としてPCRなどの遺伝子検査がもっとも感度が高い検査として位置付けられている[6]。

現在、患者の入院に際してPCR検査などを実施している医療機関が多いと考えられるが、入院以外の患者を含めて明確な検査の適応は定められていない。また、抗原の定性検査は感度に課題があるが、感染性が高い一定量以上のウイルス量を有する患者は陽性と判定できるため、迅速性や簡便性を生かして特定の現場では活用されている。

ワクチンの接種

すでに国内ではファイザー、モデルナ、アストラゼネカの3社のワクチンが承認を受け、ファイザーとモデルナのワクチンは集団接種や職域接種を含めて広く接種が進められている。これらのワクチンは、重症化の予防はもちろん、感染症の発症抑制効果も期待できるほど高い有効性を示している。すでにほとんどの医療従事者は接種を完了していると思われるが、それにより医療従事者の感染例は明らかに減少の傾向が認められている。今後はさらに広くワクチンを行き渡らせることにより、集団免疫など社会的な感染抑制効果が期待できると考えられる。

おわりに

新型コロナウイルスの出現と感染拡大により、医療現場だけでなく社会に与えた影響は計り知れないものがある。人類はこれに対し診断、治療、予防、感染対策のそれぞれにおいて試行錯誤を繰り返しながら前進している。その一方でウイルスも新たな変異株によって簡単には収まらない状況を作り出している。まだ現時点においては新型コロナウイルス感染症の確かな収束は見えていないが、それまでは個人個人は自らができる対策を継続しながらこの難局を乗り越えていかなければならない。

参考文献

1. 厚生労働省．新型コロナウイルス感染症COVID-19 診療の手引き 第5版．https://www.mhlw.go.jp/content/000785119.pdf（2021年6月25日アクセス）．
2. Alene M, Yismaw L, Assemie MA, Ketema DB, Gietaneh W, Birhan TY. Serial interval and incubation period of COVID-19: a systematic review and meta-analysis. BMC Infect Dis 2021；21（1）：257.
3. CDC. Scientific Brief: SARS-CoV-2 Transmission. https://www.cdc.gov/coronavirus/2019-ncov/science/science-briefs/sars-cov-2-transmission.html（2021年6月25日アクセス）．
4. CDC. Interim U.S. Guidance for Risk Assessment and Work Restrictions for Healthcare Personnel with Potential Exposure to SARS-CoV-2. Updated Mar 11, 2021. https://www.cdc.gov/coronavirus/2019-ncov/hcp/guidance-risk-assesment-hcp.html（2021年6月25日アクセス）．
5. 日本環境感染学会．医療機関における新型コロナウイルス感染症への対応ガイド（第3版）．http://www.kankyokansen.org/uploads/uploads/files/jsipc/COVID-19_taioguide3.pdf（2021年6月25日アクセス）．
6. 厚生労働省．新型コロナウイルス感染症（COVID-19）病原体検査の指針（第3.1版）．https://www.mhlw.go.jp/content/000747986.pdf（2021年6月25日アクセス）．

特集—歯科医院はCOVID-19感染症にどう備えるべきか

特集1　歯科医師が知っておきたいCOVID-19の基礎知識

Part2 COVID-19に対する薬物療法およびワクチン最新情報

寺嶋　毅

東京歯科大学市川総合病院呼吸器内科
連絡先：〒272-8513　千葉県市川市菅野5-11-13

はじめに

　COVID-19を引きおこす病原体はSARS-CoV-2と呼ばれるRNAウイルスである。ウイルスの表面にあるスパイク蛋白が細胞の受容体に結合し、ウイルスが細胞内に侵入する。細胞内でウイルスが複製され、多くの新たなウイルスが細胞外に出ていき、さらに別の細胞に感染し体内で増えていく。治療ではウイルスが細胞内に入る過程を抑制する薬、細胞内で増殖する過程を抑制する薬、過剰な免疫や血栓を抑制する薬などがある。わが国で承認されているワクチンはスパイク蛋白の設計図（遺伝情報）を体内に注入し、体内で合成されたスパイク蛋白に対して免疫を作らせ、スパイク蛋白の働きを抑えることで効果を発揮する。

1. 薬物療法

　ウイルスの増殖を抑制する抗ウイルス薬、免疫を抑制する薬、抗血栓薬に分けられる（表1）。ウイルスが侵入すると、免疫を担う細胞が異物として認識し取り込んで、その情報を伝えたり、感染した細胞を死滅させるなど、さまざまな免疫反応がおきる。この際の反応は時に正常の細胞や組織の傷害を招いたり、臓器の働きを損なってしまうことがある。また、過剰な免疫反応や、血管壁の損傷などが関与して血栓症を誘発することがある。感染の早期から前半はウイルス増殖の時期であり、病態の後半では過剰な免疫反応が重症化に関与しており、時期や重症度を考慮して治療薬が用いられる（図1）。

2. 抗ウイルス薬

　レムデシビルはエボラの治療を目的に開発された薬である。ウイルスが細胞内で複製される際に働くRNAポリメラーゼを阻害することでウイルスの増殖を抑制する。入院を必要とする肺炎症例において、改善までの期間が15日から10日に短縮されたことが示され[1]、米国で緊急承認された後、国内では2020年5月に特例承認された。初日に200mg、投与2日目以降は100mgを1日1回点滴静注する。5日間、改善が認められなければ最長10日間まで投与する。腎機能障害（eGFRが30mL/min/1.73m2未満）、肝機能障害（ALTが基準範囲上限の5倍以上）では投与しないことが望ましく、定期的に検査を行う必要がある。

　ファビピラビルは新型インフルエンザの治療薬であるが、COVID-19においてもRNAポリメラーゼ阻害作用がSARS-CoV-2の増殖を抑制することが期待されて効果が検討されてきた。臨床試験においてウイルスの陰性化、解熱するまでの期間が短縮され、2021年6月の時点で承認申請中の段階である。

特集1　歯科医師が知っておきたいCOVID-19の基礎知識

表1　COVID-19の主な治療薬

	薬品名（商品名）	用法・用量	対象	臨床試験（対照群との比較）
抗ウイルス薬	レムデシビル（ベクルリー）	初日200mg 2日目以降100mg 1日1回点滴静注 5日間（最長10日間）	中等症〜重症	回復までの期間短縮 10日 vs 15日 死亡率改善傾向 11.4% vs 15.2%
	ファビピラビル（アビガン）	初日3,600mg 2日目以降1,600mg 内服 10日間（最長14日間）	軽症〜中等症	症状改善、ウイルス陰性化までの期間短縮 11.9日 vs 14.7日
免疫抑制薬	デキサメタゾン	6mg 1日1回（経口・経管・静注）10日間	中等症〜重症	死亡率改善 人工呼吸管理例 29.3% vs 41.4% 酸素吸入例 23.3% vs 26.2%
	バリシチニブ（オルミエント）	4mg 1日1回内服 最長14日間	中等症〜重症	症状回復までの期間短縮 7日 vs 8日
	トシリズマブ（アクテムラ）	8mg/kg 単回 点滴静注	中等症〜重症	死亡率改善 31% vs 35%

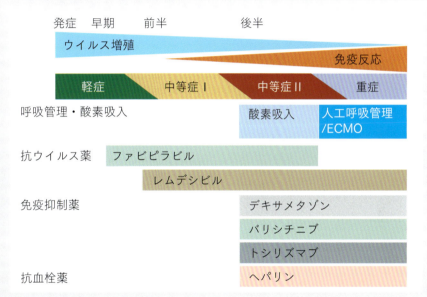

図1　薬物療法。重症度に応じて、感染前半には抗ウイルス薬、後半以降は免疫抑制薬を用いる。

症状発現から72時間以内、かつ基礎疾患などの重症化リスク因子を有する50歳以上の感染者を対象に新たな臨床試験が行われており、その結果が待たれる。1錠200mgの錠剤を初日3,600mg（1,800mg 1日2回）、2日目以降1,600mg（800mg 1日2回）を10日間、最長14日間内服する。注意点として、妊娠していないことを確認して投与すること、また、投与期間中および投与終了後14日間は避妊法を徹底すること、男性では投与期間中および投与終了後10日間まで避妊法を徹底することが必要である。副作用として尿酸値上昇があり、相互作用をきたす薬剤としてテオフィリン、スリンダクなどがある。

3. 免疫抑制薬

デキサメタゾンは重症のアレルギー疾患、自己免疫疾患など多くの疾患、病態の治療に用いられてきた。COVID-19においてコルチコステロイドの抗炎症作用が過剰な炎症を抑制することが期待され、用いられる。臨床試験において死亡率を人工呼吸管理患者では41.4%から29.3%に、酸素投与を必要とした患者では26.2%から23.3%に低下させた[2]。ただし、酸素投与を必要としなかった患者では予後改善効果を認めなかった。6mgを1日1回10日間（経口・経管・静注）する。副作用として血糖値上昇、易感

染性、消化性潰瘍などがある。

　バリシチニブは関節リウマチの治療薬で、ヤヌスキナーゼを阻害することでサイトカイン（炎症を仲介する物質）の産生を抑制する。SARS-CoV-2の細胞内への侵入を防ぐ効果も示唆されている。入院中の中等症以上の症例でレムデシビルに上乗せすることで臨床的改善までの期間を8日から7日に短縮、とくに高流量の酸素吸入あるいは非侵襲的な人工呼吸管理を必要とする症例では18日から10日に改善させたことが示され[3]、2021年4月に承認された。4mgを1日1回、最長14日間まで経口投与する。妊娠している女性には禁忌である。結核発症があり得るため、投与前に結核のスクリーニング検査が必要である。

　トシリズマブは関節リウマチなどの治療薬で、サイトカインのひとつであるインターロイキン（IL）-6受容体のモノクローナル抗体である。IL-6は過剰な免疫反応において大きな役割を果たしており、IL-6の作用を抑制することで重症化予防が期待される。COVID-19では8mg/kgを点滴静注、単回投与する。米国や欧州の臨床試験では重症化や死亡の抑制効果は認められなかった。一方、英国の人工呼吸管理あるいは高流量の酸素投与を受けていた患者（そのうち82％は全身性ステロイド投与）では、死亡率を35％から31％に低下させた[4]。2021年6月に米国で緊急承認され、国内でも近い将来承認されることが期待される。B型肝炎の再活性化、結核発症があり得るため、投与前にB型肝炎、結核のスクリーニング検査が必要である。

4. 症例提示

　肺炎を呈し上記の薬物を用いて治療されたCOVID-19の症例を4つ提示する。

症例1（図2）：70歳代男性、倦怠感のため、受診した。呼吸困難は認めなかった。経皮的動脈血酸素飽和度（SpO_2）86％と低酸素血症を認めたため、CT検査を施行したところ、広汎なスリガラス様陰影、浸潤陰影を認めた。COVID-19が疑われPCR検査を施行、陽性と判明しCOVID-19と診断された。中等症IIで重症化リスクが高いと判断し、入院直後よりファビピラビル、デキサメタゾンを開始した。速やかに解熱し、酸素投与量も低下した。d-dimerの上昇を認め、抗血栓薬を追加した。退院4週間後はSpO_2 96％と正常であったが、5分間ほどの歩行で息切れを訴え、CTではスリガラス様陰影は残存していた。

症例2（図3）：80歳代男性、39度の発熱とSpO_2の低下を認めて入院時より酸素吸入を開始した。CTでは広汎なスリガラス様陰影を認め、重症化リスクが高いと判断し、入院直後よりレムデシビル、デキサメタゾン、ヘパリンを開始した。翌日には酸素吸入量が10Lに増加してトシリズマブを追加した。一時期、酸素吸入量が15Lの高度の呼吸不全が持続したが、その後軽快した。

症例3（図4）：40歳代男性、入院時38度の発熱を認めたが、SpO_2 98％と呼吸不全は認めなかった。CTでは右肺に浸潤陰影を認めた。基礎疾患に糖尿病があり、ファビピラビルを開始した。数日後に酸素吸入が必要となり、デキサメタゾンを追加し、さらに酸素吸入量が増加し、入院7日目にレムデシビル、ステロイド大量療法、トシリズマブ、ヘパリンを投与した。これらの薬物治療にもかかわらず呼吸不全が進行し、人工呼吸管理となった。5日後に離脱し、酸素治療を必要としなくなるまで回復した。退院前のCTではスリガラス様陰影は残存していた。

症例4（図5）：60歳代女性、39度の発熱を認め、PCR検査でSARS-CoV-2陽性（N501Y変異あり）と診断された。入院時にはSpO_2 96％と呼吸不全は認めなかったが、当日夜よりSpO_2低下をきたし、酸素吸入が必要となった。基礎疾患に糖尿病と高血圧症があり、ファビピラビルとデキサメタゾンを開始したが、酸素吸入量が増加し、抗ウイルス薬をファビピラビルからレムデシビルに変更し、バリシチニブを追加した。さらに酸素吸入量が増加し、ステロイド大量療法するも呼吸不全が進行し、人工呼吸管理となった。8日後に離脱し酸素治療を必要としなくなるまで回復した。退院前のCTでは索状陰影が残存していた。

特集1　歯科医師が知っておきたいCOVID-19の基礎知識

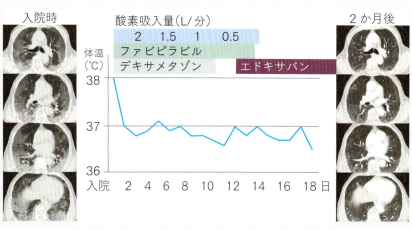

図2　症例1、70歳代男性。入院時のCTで広汎なスリガラス様陰影、浸潤陰影を認める。酸素吸入、薬物療法にて軽快、退院した。

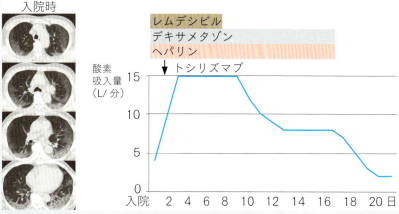

図3　症例2、80歳代男性。入院時のCTで広汎なスリガラス様陰影、浸潤陰影を認める。酸素吸入、薬物療法にて軽快、退院した。

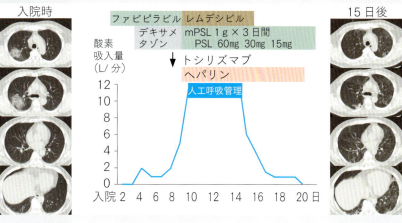

図4　症例3、40歳代男性。入院後薬物療法を併用したが、呼吸不全が進行し人工呼吸管理となった。離脱後、軽快、退院した。mPSL：メチルプレドニゾロン、PSL：プレドニゾロン。

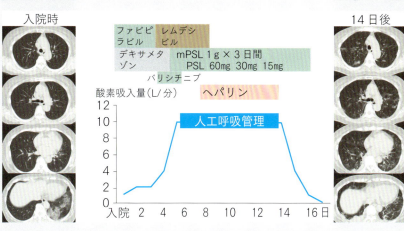

図5　症例4、60歳代女性。入院後薬物療法を併用したが、呼吸不全が進行し人工呼吸管理となった。離脱後、軽快、退院した。mPSL：メチルプレドニゾロン、PSL：プレドニゾロン。

表2　国内でのワクチンに関する状況（2021年6月25日執筆時点）

製薬会社	ファイザー	モデルナ	アストラゼネカ	ジョンソン&ジョンソン
商品名	コミナティ	COVID-19ワクチンモデルナ	バキスゼブリア	
国内承認	2021年2月	2021年5月	2021年5月	申請中
作用機序	mRNA		ウイルスベクター	
接種回数/間隔	2回/21日	2回/28日	2回/4～12週	1回
対象年齢	12歳以上	18歳以上（米国12歳以上）	18歳以上	（米国18歳以上）
効果				
発症抑制	97.0%	94.1%	70.4%	66.1%
重症化抑制	97.5%	100%	100%	85.4%
死亡抑制	96.7%	NA	NA	NA
感染抑制	91.5%	62.0%	59.0%	NA
安全性・副反応				
アナフィラキシー頻度	5件/100万回	2.5件/100万回	9件/100万回	NA
血栓症頻度	NA	NA	4件/100万回	5件/100万回
発熱（1回目/2回目）	14.3%/32.8%	2.0%/40.1%	9.9%/1.7%	0.1～0.3%

NA：データ入手なし

5. ワクチン

国内で承認、あるいは承認申請中のワクチンを表2に示した。mRNAワクチンは、スパイク蛋白の遺伝情報をmRNAの形で脂質ナノ粒子に入れて投与する。ウイルスベクターワクチンは、感染性のないアデノウイルスにスパイク蛋白のDNAを組み込んで投与する。いずれも遺伝情報をもとに体内でSARS-CoV-2のスパイク蛋白が作られ、その蛋白を異物として認識し、抗体が産生されるとともに細胞性免疫が成立する。

mRNAワクチンであるファイザー製のコミナティは、約46,000人が参加した臨床試験において95%の発症予防効果を示し[5]、2020年12月に米国で承認、わが国では2021年2月に承認された。イスラエルでは約470万人に接種され、発症抑制97.0%、重症化抑制97.5%、死亡抑制96.7%、感染抑制91.5%と高い予防効果が示された[6]。

同じmRNAワクチンであるモデルナ製のCOVID-19ワクチンモデルナは、約30,000人が参加した臨床試験において発症抑制94.1%、重症化抑制100%の高い予防効果を示し[7]、わが国でも2021年5月に承認された。米国でmRNAワクチンが接種された妊婦35,700症例の検討において、副反応は非妊婦と同程度であり、妊娠中の経過、出産、新生児に関しては非接種者における一般的な経過の範囲を逸脱するものではなかった[8]。妊婦に関しては有益性が危険性を上回ると判断された場合のみに接種が推奨されている。コミナティは12歳から15歳の2,260例が登録された臨床試験において、100%の有効性が示され、副反応はこれまで観察されたものと同様であり[9]、国内では2021年5月末に12歳以上まで対象が拡大された。mRNAワクチンは不安定で壊れやすいため、超低温で搬送、貯蔵しなければならない。

ウイルスベクターワクチンであるアストラゼネカ製のバキスゼブリアは、発症抑制70.4%、重症化抑制100%の予防効果が示され[10]、わが国では2021年5月に承認された。

ジョンソン&ジョンソン製のウイルスベクターワ

クチンは、1回接種であることが長所であり、発症抑制66.1％、重症化抑制85.4％の効果が示され[11]、2021年6月現在、承認申請中である。ウイルスベクターワクチンには稀ではあるが重篤な副反応に血小板減少をともなう血栓症があり、脳静脈洞血栓症や内臓静脈血栓症が含まれている。ワクチン接種後の4日から28日後、持続的な頭痛、霧視、痙攣、息切れ、胸痛、腹痛、点状出血などの症状には注意が必要である。

重篤な副反応にアナフィラキシーがあり、全身性の皮膚・粘膜症状、喘鳴、呼吸困難、頻脈、血圧低下などの症状を複数呈する。1回目のワクチン接種でアナフィラキシーなどアレルギー症状を呈した場合は、同じワクチンの接種は避けるべきである。mRNAワクチンでは脂質ナノ粒子を形成する脂質二重膜の水溶性を保つために使用されているポリエチレングリコール、ウイルスベクターワクチンではポリソルベートが原因とされている。

ワクチンの長期的な効果や安全性はまだ定まってはいないが、コミナティは2回目の接種から6か月の時点で、深刻な問題点は報告されておらず、有効性の持続が示されている。

変異株への効果は、ワクチンの種類と変異株の種類によって違いが出てくる。従来株に比較すると若干の効果の減弱はあってもある程度の効果は期待され、とくに重症化予防のために接種が勧められる。

6. 歯科治療開始のタイミング

SARS-CoV-2は唾液中にも多く存在し、口腔内の検査や処置によって感染の拡大が懸念される。したがって、十分な感染防止対策を講じて診療にあたる必要がある。発症後、経時的にウイルスRNA量は減るが、14日から20日後でもPCR検査で陽性となる症例がある。PCR検査では感染力のないウイルスでも検出される。感染性のある期間を、ウイルスが培養で陽性となるかを調べることで検討したところ、症状が出現してから10日目以降は培養陰性であった[12]。すなわち、発症から10日以上経過すると周囲への感染性は極めて低いと考えられている。これらの知見をもとに、発症から10日経過し、解熱後72時間経過していれば退院が可能となり、自宅療養者は隔離が解除となる。この期間を経て退院あるいは自宅隔離期間を過ぎた時点で、歯科治療は可能と考えられる。ただし、歯科診療においてはどの患者も感染性があると想定し、手袋、ガウン、サージカルマスク、ゴーグルなどの個人防護が必要であり、エアロゾルを発生する処置の場合はN95マスクの着用が勧められる。

参考文献

1. Beigel JH, Tomashek KM, Dodd LE, et al. Remdesivir for the Treatment of Covid-19-Final Report. N Engl J Med 2020 ; 383(19) : 1813-1826.
2. RECOVERY Collaborative Group, Horby P, Lim WS, Emberson JR, et al. Dexamethasone in hospitalized patients with COVID-19. N Engl J Med 2021 ; 384(8) : 693-704.
3. Kalil AC, Patterson TF, Mehta AK, et al. Baricitinib plus remdesivir for hospitalized adults with COVID-19. N Engl J Med 2021 ; 384(9) : 795-807.
4. RECOVERY Collaborative Group. Tocilizumab in patients admitted to hospital with COVID-19 (RECOVERY) : a randomised, controlled, open-label, platform trial. Lancet 2021 ; 397(10285) : 1637-1645.
5. Polack FP, Thomas SJ, Kitchin N, et al. Safety and efficacy of the BNT162b2 mRNA COVID-19 vaccine. N Engl J Med 2020 ; 383(27) : 2603-2615.
6. Haas EJ, Angulo FJ, McLaughlin JM, et al. Impact and effectiveness of mRNA BNT162b2 vaccine against SARS-CoV-2 infections and COVID-19 cases, hospitalisations, and deaths following a nationwide vaccination campaign in Israel : an observational study using national surveillance data. Lancet 2021 ; 397(10287) : 1819-1829.
7. Baden LR, El Sahly HM, Essink B, et al. Efficacy and safety of the mRNA-1273 SARS-CoV-2 vaccine. N Engl J Med 2021 ; 384(5) : 403-416.
8. Shimabukuro TT, Kim SY, Myers TR, et al. Preliminary findings of mRNA COVID-19 vaccine safety in pregnant persons. N Engl J Med 2021 ; 384(24) : 2273-2282.
9. Frenck RW Jr, Klein NP, Kitchin N, et al. Safety, Immunogenicity, and efficacy of the BNT162b2 COVID-19 vaccine in adolescents. N Engl J Med 2021 ; May 27 in press. doi : 10.1056/NEJMoa2107456.
10. Voysey M, Clemens SAC, Madhi SA, et al. Safety and efficacy of the ChAdOx1 nCoV-19 vaccine (AZD1222) against SARS-CoV-2 : an interim analysis of four randomised controlled trials in Brazil, South Africa, and the UK. Lancet 2021 ; 397(10269) : 99-111.
11. Sadoff J, Gray G, Vandebosch A, et al. Safety and efficacy of single-dose Ad26. COV2. S vaccine against COVID-19. N Engl J Med 2021 ; 384(23) : 2187-2201.
12. Wölfel R, Corman VM, Guggemos W, et al. Virological assessment of hospitalized patients with COVID-2019. Nature 2020 ; 581(7809) : 465-469.

特集—歯科医院はCOVID-19感染症にどう備えるべきか

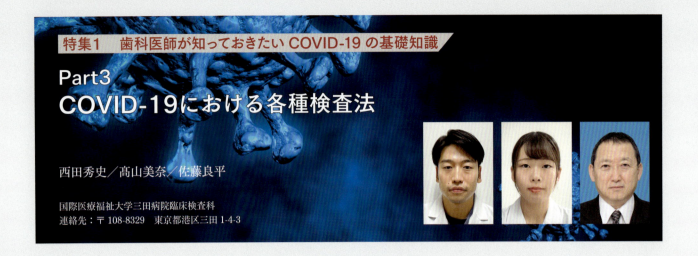

特集1　歯科医師が知っておきたいCOVID-19の基礎知識

Part3
COVID-19における各種検査法

西田秀史／髙山美奈／佐藤良平

国際医療福祉大学三田病院臨床検査科
連絡先：〒108-8329　東京都港区三田1-4-3

はじめに

コロナウイルスは直径約100nmの球形で、電子顕微鏡で観察すると表面には突起が見られる（図1）[1]。

重症肺炎を引き起こす新型コロナウイルスは3種類あり、2002年に中国広東省で確認された重症急性呼吸器症候群コロナウイルス（SARS）、2012年にサウジアラビアで発見された中東呼吸器症候群コロナウイルス（MERS）、そして中国の武漢市で2019年12月以降に確認された新型コロナウイルス（SARS-CoV-2）である。

SARS-CoV-2による感染症はCOVID-19と呼ばれ、世界中に蔓延しており、感染拡大とともに核酸検出法、抗原検査などのCOVID-19検査法も多く実施されるようになった（図2）。本稿ではCOVID-19の各種検査法について述べる。

1. 各種検査法について

核酸検出法

生物の遺伝情報はDNAまたはRNAと呼ばれる核酸に存在し、その核酸を検出する方法の1つがポリメラーゼ連鎖反応（Polymerase Chain Reaction）、いわゆるPCR法である（図3）。特定の二本鎖DNAの断片だけを選択して増幅反応を行うため、採取したDNAが微量であっても判定が可能となる。ウイ

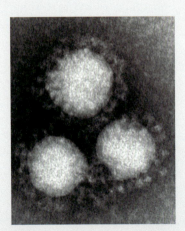

図1　コロナウイルスの電子顕微鏡写真像（参考文献1より画像提供）。

図2　検査実施の様子。

図3　当院で導入しているPCR装置。

特集1　歯科医師が知っておきたいCOVID-19の基礎知識

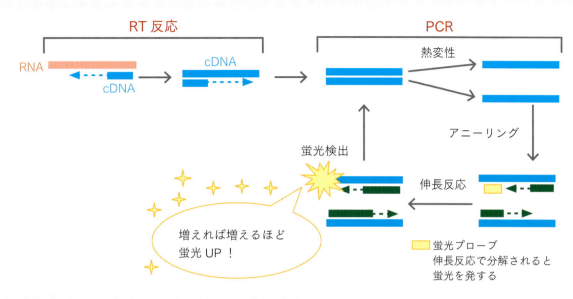

図4　リアルタイムRT-PCR法の原理（参考文献2より引用改変）。

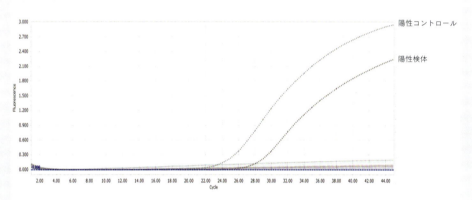

図5　PCR増幅曲線。縦軸：蛍光強度、横軸：サイクル数。

ルスはDNAかRNAどちらかの核酸を保有しており、DNAウイルスとRNAウイルスに分類される。新型コロナウイルスはRNAウイルスであり、PCR法を行うためにはRNAを一度DNAに変換（逆転写反応［RT：Reverse Transcription］）させてから増幅させる必要がある。逆転写反応後、PCRを行う検査をRT-PCR法と呼ぶ。PCRによるDNA合成の各サイクルは3つのステップで構成されている。熱変性により二本鎖DNAが分かれて一本鎖になり、ターゲットとなる遺伝子配列と特異的に結合するプライマーに結合させ（アニーリング）、ターゲット遺伝子に相補的な配列のDNA分子を合成する（伸長反応）（図4）[2]。リアルタイムPCR法は、リアルタイムでモニタリングし、解析する方法である。増幅したDNA（増幅曲線）が一定の蛍光強度（閾値）を超えた時点のPCRのサイクル数をCt値（あるいはCq値）と呼ぶ（図5）。検体中のウイルス量が少ない場合、Ct値は大きくなり、ウイルス量が多いとCt値が小さくなる。このように、物質量とCt値は相関をとるため、検量線を用いての定量法が可能となる。そのため、後述する他のPCR法と比較して信頼性が高いと言われている。PCR検査は、試薬調製や検体処理などの作業時間と核酸増幅時間があるので、数時間を要する。

その他に簡易的な核酸検出方法として、LAMP（loop-mediated isothermal amplification）法やTMA（transcription mediated amplification）法などがある。LAMP法は遺伝子検出までを1ステップ工程で行

特集―歯科医院はCOVID-19感染症にどう備えるべきか

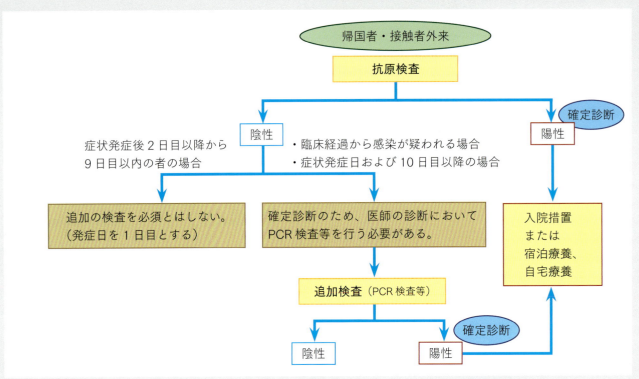

図6　抗原定性検査キットを活用したフロー（参考文献3より引用改変）。

い、一定温度で増幅する方法である。

　核酸検出検査は試薬調製と検体処理の作業場所を分ける必要がある。試薬調製は、汚染などを防ぐため清潔環境下のクリーンベンチ内で行う。一方、検体処理は、バイオハザード対策用安全キャビネット内で行う。その際、検査担当者は検体からの曝露を防ぐために、マスク、手袋、ガウンなどの個人防護具を装着して作業を行う。検査室は病原体が外部に流出しないよう気圧を低くし、陰圧状態にする。

抗原検査

　抗原検査はSARS-CoV-2の構成成分である蛋白質に特異的な抗体を用いて検査する方法である。検体処理液により検体中のウイルス粒子を破壊し、ウイルス内部にある核タンパクと抗体を反応させる。

　抗原検査には定性検査と定量検査があり、イムノクロマト法を用いる定性検査では、陽性または陰性で判定する（図6）[3]。専用機器や特殊な環境整備が不要なため利便性に優れ、前処理を含む検査時間は30～40分程度である。有症状者の確定診断、ま

たは症状発症から2～9日目の症例における陰性の確定診断として用いることができる。発症から10日以降も使用可能ではあるものの、陰性の場合は臨床像と合わせて判断し、必要に応じて核酸検出検査や抗原定量検査を行うことが推奨される[3]。無症状者に対しては確定診断としての使用は推奨されないものの、感染拡大地域の医療機関や高齢者施設等において幅広く検査を実施するスクリーニング検査に使用することは可能である。簡便な検査法ではあるが、検出に一定以上のウイルス量が必要となるため、感度は核酸検出検査や抗原定量検査と比較すると劣る。そのため、結果が陰性の場合でも感染予防策を継続すること、また結果が陽性の場合でも医師が必要と認めれば核酸検出検査や抗原定量検査により確認することが望ましい。

　抗原定量検査は、ウイルス抗原を定量的に測定することができる。特異度も高く、感度もLAMP法など簡易的な核酸検出方法と同程度といわれている。専用機器を要するため医療機関や検査機関のみ実施可能であり、検査時間は30～40分程度である。

図7 抗体検査の違いについて（アボットジャパン合同会社資料より許諾を得て掲載）。

抗体検査

　抗体検査はウイルスに対する抗体の有無を調べる検査である。抗体の出現する時期は症状出現から1〜3週間後といわれている[4]。

　検査結果が陽性であっても、その時点で被検者からウイルスが排出されていることを意味するものではなく、一般的に感染歴の指標に用いられる。抗体にはIgM抗体やIgG抗体などがあり、IgM抗体は感染初期に出現し、IgG抗体は長期間検出される。イムノクロマト法の検査キットをはじめとして、国内でさまざまな抗体検査キットが研究用試薬として市場に流通しているが、国内で医薬品・医療機器等の品質、有効性および安全性の確保等に関する法律（薬機法）上の体外診断用医薬品として承認を得ていない。WHOは、抗体検査を診断の目的として単独で用いることを推奨しておらず、疫学調査等での活用の可能性を示唆している。また、抗体検査試薬によっては、SARS-CoV-2のNタンパクに反応するもの、Sタンパクに反応するものがある。Nタンパク、Sタンパクそれぞれに対する抗体検査は、これまで説明したCOVID-19感染症の既往を確認することができる。さらに、主なSARS-CoV-2のワクチンがSタンパクを標的としていることから、Sタンパクに対する抗体検査はワクチン接種の効果を確認することができる（図7）。だが、どちらも個人差があるので、必ず抗体ができるものではないことを念頭におく必要がある。

2. 検体の種類[5]

鼻咽頭ぬぐい液

　SARS-CoV-2は上気道から感染するため、感染初期にはもっとも標準的で信頼性の高い検体と考えられている。しかし、検体を採取する際、飛沫に曝露するリスクが高いことから感染予防策を徹底し、適切な部位から採取する必要がある。

鼻腔ぬぐい液

　鼻腔ぬぐい液は、鼻孔の方向で鼻腔に沿って2cm程度スワブを挿入し、挿入後スワブを5回程度回転させ、約5秒間静置し湿らせる。医療従事者（医療従事者が常駐していない施設では検体採取に関する注意点を理解した施設職員）の管理下であれば、被験者自身が検体を採取でき、医療従事者が採取する鼻咽頭ぬぐい液と同様に有用とする報告がある。

　しかし一方で、検出感度は鼻咽頭ぬぐい液と比較するとやや低いとの報告もあることから、引き続き感度に対する検討が必要であるものの、実用性と医療従事者の感染予防の面から期待される検体である。

唾液

　採取の際、飛沫を発しにくく、周囲への感染拡散のリスクが低い現実的な検体と考えられている。検出感度は鼻咽頭ぬぐい液と同程度で検体採取が簡単なこともあり、実用的な検体であるが、正しい検査結果を得るためには検体をきちんと採取することが必須である。唾液中の消化酵素により検出感度が低下することが知られており、ウイルスの物理的除去を避けるためにも、採取前に歯磨きやうがい、飲食を行わないことなど採取の際の注意事項を守るよう指導する。どうしても避けられない場合は、最低10分間、可能であれば30分間、唾液採取まで時間を空ける。検体容器（滅菌スクリュースピッツ）に自然に分泌された唾液を直接垂らすようにして採取する。複数回繰り返し、十分な検体量（1〜2mL程度）を確保する[6]。容器の外壁を汚染する可能性があるため、唾液採取後に容器を被検者自身が酒精綿で清拭することが望ましい。唾液の粘性が強い場合は、希釈液または溶解酵素を添加し、遠心分離後の上清を用いて検査を実施する。検体採取後ただちに検査を実施することが望ましいが、すぐに検査を実施できない場合は冷蔵庫（4℃）で保管し、少なくとも48時間以内には検査を開始する必要がある。

3. 当院の現状

　当院では、院内感染を防止するために入院前スクリーニングとして、RT-PCR法と抗原定量検査の2種類のSARS-CoV-2検査法で感染の有無を確認している。そのほかにも、自費診療で抗体検査を実施している。RT-PCR法では、鼻咽頭ぬぐい液を採用している。抗原定量検査では基本的に鼻咽頭ぬぐい液を採用しているが、ぬぐうのが困難な場合は例外として唾液での検査を行っている。

　ごく稀にRT-PCR法と抗原定量検査の検査結果が乖離する事例がある。検査結果が乖離する要因として、感度等の問題以外にもPCR法では環境によるコンタミネーションのほか、検体間でのクロスコンタミネーション、試薬の調製不備や検体の分注忘れ、検体が適切な方法で採取されていないなどのヒューマンエラーが考えられる。抗原定量検査では、最小検出感度付近のウイルス量を見逃さないように判定保留域が設定されていること、PCR法と同じく適切な採取がされていないことなどが考えられる。また、血液付着検体や高粘調度検体などは、反応がうまく進まないために偽陽性化することがある。

　当院では検査結果に乖離が起きた際、人為的なミスを考慮し、再検査を実施している。それでも結果が乖離している場合、主治医に報告し、時間を空けて検体の再採取を依頼、もしくは、臨床症状と照らし合わせて総合的に判断するようお願いしている。

おわりに

　リアルタイムRT-PCR法や抗原検査、抗体検査、それぞれに特徴があり、検査に使用する材料によっても異なるため、目的にあった検査を行うことが重要である。検査数や検査する場所の広さなどによって実施可能な検査が異なるので、各施設でもっとも適切な検査法や検査材料を選択する必要がある。

参考文献

1. 国立感染症研究所ウェブサイト．コロナウイルスとは．https://www.niid.go.jp/niid/ja/（2021年6月29日アクセス）．
2. 北海道大学病院．唾液を使ったPCR検査について．https://www.huhp.hokudai.ac.jp/covid-19/pcr/（2021年6月29日アクセス）．
3. 厚生労働省．新型コロナウイルス感染症に関する検査について．SARS-CoV-2抗原検出用キットの活用に関するガイドライン．https://www.mhlw.go.jp/content/000640554.pdf（2021年6月29日アクセス）．
4. 厚生労働省．新型コロナウイルス感染症に関する検査について　抗原検査，抗体検査．https://www.mhlw.go.jp/content/000640554.pdf（2021年6月29日アクセス）．
5. 厚生労働省．新型コロナウイルス（COVID-19）病原体検査の指針第4版．https://www.mhlw.go.jp/content/000788513.pdf（2021年6月29日アクセス）．
6. 日本感染症学会．唾液を用いたPCRや抗原検査における検体採取や検査の注意点．https://www.kansensho.or.jp/uploads/files/topics/2019ncov/covid19_note_200910.pdf（2021年6月29日アクセス）．

特集2　COVID-19に対する歯科医院の感染対策

歯科医院におけるCOVID-19への手指・環境衛生および治療時への有効な消毒剤

王 宝禮

大阪歯科大学歯科医学教育開発センター
連絡先：〒573-1121　大阪府枚方市楠葉花園町8番1号

はじめに

　歯科医院の日常診療において口腔やその周辺を診察、治療するため、新型コロナウイルス感染症（COVID-19：coronavirus disease 2019）の原因ウイルスであるSARS-CoV-2（Severe acute respiratory syndrome coronavirus 2）を含む唾液や飛沫・エアロゾルに暴露される危険性が常に存在している。

　一方、手指は患者の皮膚や患者付近の物に存在する病原体の重要な伝播経路となっている。たとえば、SARS-CoV-2で汚染された医療従事者の手指が別の患者に直接接触したり、患者が直接接触する物に、医療従事者が接触する。そのため、感染予防の基本は手指消毒や環境消毒になる。

　ここでは、歯科医院におけるSARS-CoV-2への手指・環境・口腔衛生への有効な消毒剤に関して考察していく。

1. 手指衛生

　2002年米国疾病管理予防センター（CDC：Centers for Disease Control and Prevention）は「医療施設における手指衛生のためのガイドライン」を発表した[1]。CDCはエビデンスに基づいて、手指が視覚的に汚れていなければ、アルコール手指消毒液を日常的に用い、手が視覚的に汚れるかタンパク質性物質で汚染された場合には石鹸やハンドソープと流水にて手洗いすることを推奨している[1]。

　流水化によるすすぎのみでもウイルス量が100分の1程度に減少することが明らかとなっている。また、石鹸やハンドソープで10秒もみ洗いし、流水で15秒すすぐと1万分の1に減少できる（図1）[2]。厚生労働省では、手洗い時にハンドソープを使用することにより、さらにウイルス量の減少傾向が強まったことから、手洗いはCOVID-19予防および拡大防止に非常に有効な手段であると推している。

　ウイルスを殺菌剤や消毒剤によって不活化する場合、エンベロープ（脂質性の膜）を持つかどうかで薬剤耐性が変化する。SARS-CoV-2はエンベロープウイルスである。手洗いは、たとえ流水だけであったとしても、ウイルスを流すことができるため有効である。石鹸を使った手洗いはコロナウイルスの膜を壊せるので、さらに有効である。また、流水と石鹸での手洗いができない時は、手指消毒用アルコールも同様にエンベロープを壊すことによって感染力を失わせることが可能である（図2）。SARS-CoV-2に対するアルコールの効果は、濃度30％（vol/vol）以上のエタノールで30秒間消毒することでSARS-CoV-2を不活性化する報告がある[3]。

　日本では、経済産業省は「（独）製品評価技術基盤機構（通称NITE：National Institute of Technology and Evaluation）」が実施したCOVID-19に有効な消

特集―歯科医院はCOVID-19感染症にどう備えるべきか

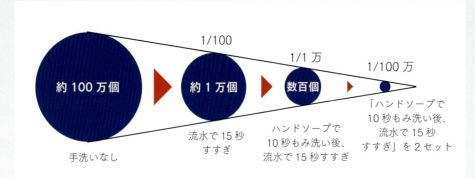

図1 手洗いの効果．ハンドソープは液体石鹸で、石鹸は固形石鹸を意味することが多い。ハンドソープは泡立ちが早く、固形石鹸は泡立てるまで時間を要する（参考文献2より引用改変）。

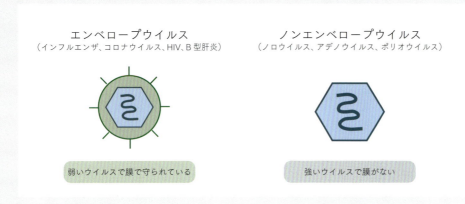

図2 エンベロープウイルスとノンエンベロープウイルス。

毒・除菌方法の有効性評価の結果等を踏まえ、発表を重視している[4]。その結果、手指衛生においては、NITEは「石鹸・ハンドソープによる手洗い」と「アルコール（60％以上95％以下）」を推奨している。アルコールが市場で不足した時には、次亜塩素酸水とオゾン水が候補に挙がった。これらは有機物の存在で賦活化効果を下がるために流水化で次亜塩素酸水（35ppm以上）とオゾン水（4-10ppm）が有効と考えられている[5]。また、SARS-CoV-2においては、皮膚表面上9時間程度生存するという報告[6]もあるため、手指消毒は頻繁に行うべきと考える。

2. 環境衛生

SARS-CoV-2はボール紙の上では24時間以内、プラスチックの上では最大3日、感染性を維持している報告がある[7]。

歯科医院内ではパソコンのキーボード、チェアサイドや待合室の環境表面の衛生には、無影灯、シート、テーブル、3Wayシリンジ、ドアノブ、スイッチ、壁など頻繁に手に触れるものに対しての消毒が必要となる。

NITE[4]では、環境消毒薬には、アルコール（60％以上95％以下）、熱水、塩素系漂白剤等（次亜塩素酸ナトリウム 0.05％）、さらに界面活性剤は9種直鎖アルキルベンゼンスルホン酸ナトリウム（0.1％以上）、アルキルグリコシド（0.1％以上）、アルキルアミンオキシド（0.05％以上）、塩化ベンザルコニウム（0.05％以上）、塩化ベンゼトニウム（0.05％以上）、塩化ジアルキルジメチルアンモニウム（0.01％以上）、ポリオキシエチレンアルキルエーテル（0.2％以上）、純石けん分の脂肪酸カリウム（0.24％以上）、純石けん分の脂肪酸ナトリウム（0.22％以上）としている。なお、次亜塩素酸水は次亜塩素酸水（電解型/非電解型）は有効塩素濃度35ppm以上、ジクロロイソシアヌル酸ナトリウムは有効塩素濃度100ppm以上であり、汚れ（有機物：手垢、油脂等）をあらかじめ除去すること、対象物に対して十分な量を使用する

特集2　COVID-19に対する歯科医院の感染対策

表1　COVID-19に対する各種消毒剤等による不活化[8]

手指	環境	器具	消毒剤等	濃度	試験条件 作用時間	試験条件 有機物負荷	不活化（log減少）
○			石鹸液	約50倍希釈	15分	なし	≧3.8log
○	○		エタノール	30〜80%	30秒間	あり	約5log
○			エタノール	70%	5分	なし	≧4.8log
○			エタノール	50〜90%	1分間	なし	5log
	○	○	塩素系漂白剤	約50倍希釈（約1,000ppm）	5分	なし	≧4.8log
	○	○	塩素系漂白剤	約100倍希釈（約500ppm）	5分	なし	≧4.8log
○	○		直鎖アルキルベンゼンスルホン酸ナトリウム	0.1%以上	20秒	なし	5log
○	○		アルキルグリコシド	0.1%以上	20秒間	なし	5log
○	○		アルキルアミンオキシド	0.05%以上	20秒間	なし	5log
○	○		塩化ベンザルコニウム	0.05%以上	2分間	なし	5log
○	○		塩化ベンゼトニウム	0.05%以上	1分間	なし	5log
○	○		塩化ジアルキルジメチルアンモニウム	0.025%以上	20秒間	なし	5log
○	○		ポリオキシエチレンアルキルエーテル	0.2%以上	5分間	なし	5log
○	○		純石けん分脂肪酸カリウム	0.24%以上	1分間	なし	5log
○	○		純石けん分脂肪酸ナトリウム	0.22%以上	20秒間	なし	5log
	○	○	次亜塩素酸ナトリウム	200ppm以上	20秒間	なし	5log
○	○	○	次亜塩素酸水（電解型／非電解型）	35ppm以上	20秒間	なし	3〜5log

※不活化のlogの意味は5logとは、10^5（1/100000）に減少することを意味する。例としてはウイルスが10万個が1個になるということで、99.999%減少と表現できる。つまり2log以上であれば99%以上と表現できる。

こととしている（**表1**）。世界保健機関（WHO）では、2020年3月19日に改定した最新の『物品の表面の消毒に関するガイドライン』[9]においてはSARS-CoV-2に対する消毒可能な有効成分として、0.5%過酸化水素や第四級アンモニウム化合物を推奨している。

ところで、次亜塩素酸ナトリウムと次亜塩素酸水はまったく異なる。いずれも次亜塩素酸を有効成分としているが、混同しないようにしなければならない（**図3**）[10]。

次亜塩素酸ナトリウムは、アルカリ性で、酸化作用をもちつつ、原液で長期保存ができるようになっている。ハイターなどの塩素系漂白剤が代表例である。次亜塩素酸水は酸性で、次亜塩素酸ナトリウムと比較して不安定であり、短時間で酸化させる効果がある反面、保存状態次第では時間とともに急速に効果がなくなる。

厚生労働省の見解によれば、次亜塩素酸水はモノに付着した細菌やウイルスの殺菌・消毒のみに使用できるとのこと。NITEは一定の条件で使用した場合はモノに付着したウイルスを酸化作用によって破壊し、不活化することができると公表している。

3. 歯科治療時の口腔内消毒効果の考察

歯科治療前の洗口として、CDCのガイドライン[11]では、ポビドンヨードの他、クロルヘキシジングルコネート、精油、塩化セチルピリジニウムを、米国歯科医師会（ADA）のガイドライン[12]ではポビドンヨード（0.2%）と過酸化水素水（1.5%）を推奨している。

本邦ではポビドンヨードの洗口が普及しており、1%ポビドンヨードの30秒間洗口によるSARS-CoV-2への不活化の報告もある[13]。日本口腔外科学会は、ポビドンヨードが手術中のエアロゾル中のSARS-CoV-2の一過性の減量を通じて、術者および

特集―歯科医院はCOVID-19感染症にどう備えるべきか

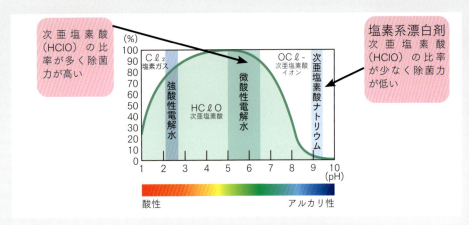

図3 水中の次亜塩素酸（HCIO）比率。次亜塩素酸水と次亜塩素酸ナトリウムの同類性に関する資料。液体中に含まれる有効塩素濃度の割合やpH値によって次亜塩素酸水は3つに分類される（参考文献10より引用改変）。

- ✓ 石鹸は必ずしも手に優しくない。
- ✓ 適切な濃度のアルコールは石鹸と流水よりも殺菌力が強い。
- ✓ アルコールは手指衛生に必要な時間を短縮できる。
- ✓ アルコールは手指を迅速に乾燥させる。
- ✓ アルコールの代替として、条件を満たしていれば、次亜塩素酸水、オゾン水を推奨できる。

図4 手指衛生の消毒剤に対する筆者の考え方[1,5]。

介助者が感染するリスクの低減を期待できるとしている[14]。

一方では、WHO[15]、CDC[11]はCOVID-19に対しての洗口が感染予防である根拠が証明されていないことから、洗口を推奨していない。厚生労働省はウェブサイト上でCOVID-19の予防法として、石鹸による手洗いや手指の消毒、マスクの着用などを挙げているが、洗口についての記載はない[16]。

ポビドンヨードの長期間にわたる使用では、血中ヨウ素濃度の上昇や歯の着色を生じることがある。従って、ポビドンヨードの洗口使用は14日間未満とするのが望ましいとの報告もある[17]。また、水洗口によって感冒発症が4割抑制されたが、ポビドンヨードには有意な予防効果が認められなかったと報告している臨床研究もある[18]。今後、COVID-19に対して洗口の臨床研究報告が待たれる。

おわりに

手指、環境衛生にどんな消毒薬が有効であるかは、表1のNITEの報告にあげられた消毒剤を考えてよい。ただ、消毒剤に共通することにおいては、食物残渣、歯垢、舌苔、血液などタンパク質を含むいわゆる有機物の存在は消毒剤の効果を著しく減弱させるということである。筆者の研究グループをはじめ、抗ウイルス試験/ウイルス不活化試験では、対象となる薬剤や不活化剤がウイルスを不活化する能力を、濃度・時間・温度・有機物などさまざまな条件下で定量していく、適切な試験系のデザインを採用した上で、感度の高い定量法を用いている。その結果、手指衛生にはアルコール、次亜塩素酸水およびオゾン水が有効であることが明らかになった。またこれらの消毒剤の信頼性は不活化レベルになるが、どのような実験条件（使用時間、有機物負荷濃度）であるかをエビデンスとなる科学論文の確認が必要である。科学論文の存在しないものは、適性でないと判断せざるを得ない。**図4**には、手指衛生の消毒剤に対する筆者の考え方について記載する。また、**表2**では「SARS-CoV-2の不活化に有効な消毒剤が含まれる製品リスト」[8,19,20]を紹介する。

特集2　COVID-19に対する歯科医院の感染対策

表2　SARS-CoV-2の不活化に有効な消毒剤が含まれる製品リスト（参考文献8, 19, 20より一部引用）（2021年5月31日執筆時点）

	製品名	メーカー名
アルコール類	①エタノール	日興製薬、小堺製薬
	②消毒用エタノール	シオエ製薬、健栄製薬
	③イソプロパノール	吉田製薬、兼一薬品工業
	④消毒用アルコール配合液「NP」	ニプロ
ハロゲン化合物（次亜塩素酸ナトリウム等の塩素系漂白剤）	①テキサント	シオエ製薬
	②ハイポライト	サンケミファ
	③ヤクラックス	ヤクハン製薬
	④ピューラックス	オーヤラックス
	⑤ミルトン	杏林製薬
	⑥ミルクポン	ピジョン
第四級アンモニウム塩（塩化ベンザルコニウムと塩化ベンゼトニウム）	1）塩化ベンザルコニウム	
	①オスバン	日本製薬、武田薬品工業
	②オロナイン	大塚製薬
	③逆性石鹸	高杉製薬
	④クレミール	サンケミファ
	⑤ザルコニン	健栄製薬
	⑥ヂアミトール	丸石製薬
	⑦トリゾン	小堺製薬
	⑧ヤクゾール	ヤクハン製薬
	⑨プリビーシー液	大塚製薬工場
	2）塩化ベンゼトニウム	
	①ハイアミン	アルフレッサファーマ
	②エンゼトニン	吉田製薬
	③ベゼトン	健栄製薬
ポピドンヨード含嗽剤（口腔内の消毒）	①イソジン	塩野義製薬
	②ネオヨジン	岩城製薬
	③インジンガーグル	塩野義製薬
	④イオダインガーグル	健栄製薬
	⑤オラロンガーグル	昭和薬品化工
	⑥JDガーグル	ジェイドルフ製薬
	⑦ジサニジンガーグル	大洋薬品工業
	⑧東海ガーグル	東海製薬
	⑨ネオヨジンガーグル	岩城製薬
	⑩ポビドンヨードガーグル	MeijiSeikaファルマ
	⑪ポピヨードガーグル	ヤクハン製薬
	⑫ポピヨドンガーグル	吉田製薬
	⑬ポピラールガーグル	日興製薬
	⑭ポピロンガーグル	シオエ製薬
	⑮ホモドンガーグル	陽進堂
	⑯ポリヨードンガーグル	兼一薬品工業
次亜塩素酸水	①微酸性次亜塩素酸水生成器「アクエス」	モリタ
	②微酸性電解水生成装置「ピュアスター」	森永乳業
	③ジアのチカラ	ピュアソン
	④シックシャット	フジパスク
	⑤レナウォーター	レナファイン
	⑥V-FENCE	東京メディカルテクノロジーズ
	⑦コモスイ	サモア
	⑧OSZIA/オスジア	大阪ソーダ
	⑨科学者が考えた除菌・消臭水	チューブライディング
	⑩Eva Water	パークス
オゾン水	①オゾン水手洗い装置「ハンドレックス」	日科ミクロン
	②オゾン水生成器「オゾン・オーラル・イリゲーター（歯科用）」	クリエンテス
	③卓上型オゾン水生成器「クイックオゾンピコ」	アイ電子工業

※本リスト製品の有効性や安全性は各メーカーに問い合わせください。

特集―歯科医院はCOVID-19感染症にどう備えるべきか

参考文献

1. CDC. Guideline for hand hygiene in health-care settings. MMWR 51(RR-16)：1-47，2002．https://www.cdc.gov/mmwr/PDF/rr/rr5116.pdf（2021年5月18日アクセス）．
2. 森加次，林志直，野口やよい，甲斐明美，大江香子，酒井沙知，原元宜，諸角聖．Norovirusの代替指標としてFeline Caliclvirusを用いた手洗いによるウイルス除去効果の検討．感染症誌 2006；80（5）：496-500．
3. Kratzel A, Todt D, V'kovski P, Steiner S, Gultom M, Thao TTN, Ebert N, Holwerd M, Steinmann J, Niemeyer D, Dijkman R, Kampf G, Drosten C, Steinmann E, Thiel V, Pfaender S. Inactivation of Severe Acute Respiratory Syndrome Coronavirus 2 by WHO-Recommended Hand Rub Formulations and Alcohols. Emerg Infect Dis 2020；26(7)：1592-1595.
4. 経済産業省．新型コロナウイルスに有効な消毒・除菌方法（一覧）令和2年7月6日版．www.meti.go.jp/covid-19/pdf/shodoku_jokin.pdf（2021年5月18日アクセス）．
5. Takeda Y, Jamsransuren D, Makita Y, Kaneko A, Matsuda S, Ogawa H, Oh H (in press). Inactivation activities and virucidal mechanism of ozonated water, slightly acidic electrolyzed water, and ethanol against SARS-CoV-2. Molecules.
6. Hirose R, Ikegaya H, Naito Y, Watanabe N, Yoshida T, Bandou R, Daidoji T, Itoh Y, Nakaya T. Survival of SARS-CoV-2 and influenza virus on the human skin: Importance of hand hygiene in COVID-19. Clin Infect Dis 2020 Oct 3；ciaa1517.
7. van Doremalen N, Bushmaker T, Morris DH, Holbrook MG, Gamble A, Williamson BN, Tamin A, Harcourt JL, Thornburg NJ, Gerber SI, Lloyd-Smith JO, de Wit E, Munster VJ. Aerosol and surface stability of HCoV-19 (SARS-CoV-2) compared to SARS-CoV-1. N Engl J Med 2020；382(16)：1564-1567.
8. （独）製品評価技術基盤機構．NITEが実施した有効性評価「新型コロナウイルスに対して有効な消毒・除菌方法」．https://www.nite.go.jp/information/koronataisaku20200522.html（2021年5月18日アクセス）．
9. WHO. Laboratory biosafety guidance related to coronavirus disease (COVID-19)：interim guidance, 19 March 2020. https://apps.who.int/iris/bitstream/handle/10665/331500/WHO-WPE-GIH-2020.2-eng.pdf?sequence=1&isAllowed=y（2021年5月18日アクセス）．
10. 厚生労働省．次亜塩素酸水と次亜塩素酸ナトリウムの同類性に関する資料薬事・食品衛生審議会食品衛生分科会乳肉水産食品部会（平成21年8月19日開催）配付資料一覧．www.mhlw.go.jp/shingi/2009/08/dl/s0819-8k.pdf（2021年5月31日アクセス）．
11. CDC. Interim infection prevention and control guidance for dental settings during the COVID-19 response. https://www.cdc.gov/coronavirus/2019-ncov/hcp/dental-settings.html Accessed May 28, 2020（2021年4月23日アクセス）．
12. ADA. ADA Interim Guidance for Minimizing Risk of COVID-19 Transmission. https://go.digitalsmiledesign.com/hubfs/BIOSAFETY/ADA%20Interim%20Guidance%20for%20Minimizing%20Risk%20of%20COVID-19%20Transmission.pdf（2021年4月23日アクセス）．
13. Meister TL, Brüggemann Y, Todt D, Conzelmann C, Müller JA, Groß R, Münch J, Krawczyk A, Steinmann J, Steinmann J, Pfaender S, Steinmann E. Virucidal Efficacy of Different Oral Rinses Against Severe Acute Respiratory Syndrome Coronavirus 2. J Infect Dis 2020；222(8)：1289-1292.
14. 日本口腔外科学会．新型コロナウイルス感染症流行下における口腔外科手術に関する指針（第1版）．2021年1月15日付．32-35．https://www.jsoms.or.jp/medical/pdf/2021/0118_1.pdf（2021年5月18日アクセス）．
15. WHO. Coronavirus disease (COVID-19) pandemic. https://www.who.int/emergencies/diseases/novel-coronavirus-2019（2021年5月18日アクセス）．
16. 厚生労働省．新型コロナウイルス感染症について．https://www.mhlw.go.jp/stf/seisakunitsuite/bunya/0000164708_00001.html（2021年5月18日アクセス）．
17. Ferguson MM, Geddes DA, Wray D. The effect of a povidone-iodine mouthwash upon thyroid function and plaque accumulation. Br Dent J 1978；144 (1)：14-16.
18. Satomura K, Kitamura T, Kawamura T, Takano Y, Tamakoshi A Prevention of upper respiratory tract infections by gargling: a randomized trial. Am J Prev Med 2005；29(4)：302-307.
19. （独）製品評価技術基盤機構．新型コロナウイルスに有効な界面活性剤が含まれている製品リスト．https://www.nite.go.jp/information/osirasedetergentlist.html（2021年5月18日アクセス）．
20. 浦部晶夫，島田和幸，川合眞一，伊豆津宏二（編）．今日の治療薬2021．解説と便覧．東京：南江堂，2021．

---

column　殺菌、滅菌、消毒、抗菌、除菌を説明できますか？

殺菌……特定の細菌を殺すこと。
滅菌……すべての細菌を死滅させること。
消毒……菌やウイルスを無毒化、細菌の活動を弱めること。

抗菌……菌の増殖を防ぐこと。
除菌……菌やウイルスの数を減らすこと。
※通常はウイルスを殺菌するといわず「不活化」と表現する。

図5　殺菌、滅菌、消毒、抗菌、除菌の違い。

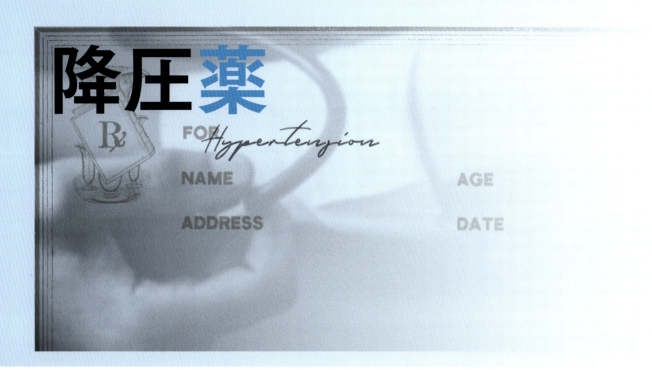

降圧薬

併用禁忌の記載がある掲載薬の一覧

▼投与薬について抽出し、歯科で処方される薬を含むものを赤背景とし、かつ歯科で使われる薬を赤字で示す。

一般名	添付文書の［禁忌］における記載内容
アジルサルタン → p. 48	アリスキレンを投与中の糖尿病患者（ただし、他の降圧治療を行ってもなお血圧のコントロールが著しく不良の患者を除く）
アジルサルタン・アムロジピンベシル酸塩配合 → p. 50	同上
アムロジピンベシル酸塩 → p. 52	同上
オルメサルタンメドキソミル → p. 54	同上
オルメサルタンメドキソミル・アゼルニジピン → p. 56	同上
カルベジロール → p. 58	特になし
カンデサルタンシレキセチル → p. 60	アリスキレンを投与中の糖尿病患者（ただし、他の降圧治療を行ってもなお血圧のコントロールが著しく不良の患者を除く）
シルニジピン → p. 62	特になし
テルミサルタン → p. 64	アリスキレンを投与中の糖尿病患者（ただし、他の降圧治療を行ってもなお血圧のコントロールが著しく不良の患者を除く）
ニフェジピン → p. 66	特になし
バルサルタン → p. 68	アリスキレンを投与中の糖尿病患者（ただし、他の降圧治療を行ってもなお血圧のコントロールが著しく不良の患者を除く）
バルサルタン・アムロジピンベシル酸塩 → p. 70	同上
ビソプロロールフマル酸塩 → p. 72	特になし
マニジピン塩酸塩 → p. 74	特になし

降圧薬

アジルサルタン

Azilsartan

アジルサルタンはアンジオテンシンⅡタイプ1（AT₁）受容体に結合してアンジオテンシンⅡと拮抗し、主にその血管収縮作用を抑制することによって生ずる末梢血管抵抗の低下により降圧作用を示す。

アジルバ

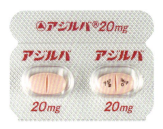

効能・効果	高血圧症

用法・用量	通常、成人にはアジルサルタンとして20mgを1日1回経口投与する。なお、年齢、症状により適宜増減するが、1日最大投与量は40mgとする

禁忌	本剤の成分に対し過敏症の既往歴のある患者、妊婦または妊娠している可能性のある婦人、アリスキレンフマル酸塩を投与中の糖尿病患者（ただし、他の降圧治療を行ってもなお血圧のコントロールが著しく不良の患者を除く）

副作用	重大な副作用：血管浮腫、ショック、失神、意識消失、急性腎不全、高カリウム血症、肝機能障害、横紋筋融解症

半減期	13時間

アジルサルタン

表 歯科医院で処方される主な併用薬との相互作用

併用薬		相互作用	方策
抗菌薬	サワシリン（アモキシシリン水和物）	特になし	処方可
	ケフラール（セファクロル）	特になし	処方可
	フロモックス（セフカペン ピボキシル塩酸塩水和物）	特になし	処方可
	メイアクトMS（セフジトレン ピボキシル）	特になし	処方可
	クラリシッド、クラリス（クラリスロマイシン）	特になし	処方可
	ジスロマック（アジスロマイシン水和物）	特になし	処方可
	クラビット（レボフロキサシン水和物）	特になし	処方可
抗炎症薬および鎮痛薬	カロナール（アセトアミノフェン）	特になし	処方可
	SG（イソプロピルアンチピリン、アセトアミノフェン、アリルイソプロピルアセチル尿素、無水カフェイン）	特になし	処方可
	ロキソニン（ロキソプロフェンナトリウム水和物）	本剤の降圧作用減弱、腎機能障害のある患者では悪化のおそれ——非ステロイド性抗炎症薬のプロスタグランジン合成阻害による	慎重を要する
	ボルタレン（ジクロフェナクナトリウム）	本剤の降圧作用減弱、腎機能障害のある患者では悪化のおそれ——非ステロイド性抗炎症薬のプロスタグランジン合成阻害による	慎重を要する
抗真菌薬または抗ウイルス薬	フロリード（ミコナゾール）	特になし	処方可
	イトリゾール（イトラコナゾール）	特になし	処方可
	バルトレックス（バラシクロビル塩酸塩）	特になし	処方可
	ゾビラックス（アシクロビル）	特になし	処方可
局所麻酔薬	エピリド、オーラ、キシロカイン（アドレナリン含有リドカイン塩酸塩）	特になし	処方可
	シタネスト-オクタプレシン（プロピトカイン塩酸塩・フェリプレシン）	特になし	処方可
胃粘膜保護薬	ムコスタ（レバミピド）	特になし	処方可

※高血圧、動脈硬化、心不全、甲状腺機能亢進、糖尿病のある患者および血管攣縮の既往のある患者におけるアドレナリン含有局所麻酔薬の使用は原則禁忌。

……処方可　……慎重を要する　……減量、休薬など　……併用禁忌／原則禁忌

One Point　NSAIDSの代わりにカロナールを、また顔面、口腔内の浮腫に注意

　本剤は重篤な腎機能障害のある患者には腎機能を悪化させる恐れがあるため、慎重投与が必要な薬剤。また、降圧作用を減弱することがあるのでNSAIDSとの併用には注意が必要。抜歯後など鎮痛剤投与が必要な場合にはアセトアミノフェン（カロナール）をすすめる。また、副作用で本剤には顔面、口唇、舌、咽喉頭などの腫脹（血管浮腫）を来たすことがある。

降圧薬

Azilsartan, Amlodipine Besilate

アジルサルタン・アムロジピンベシル酸塩配合

アジルサルタンはアンジオテンシンⅡタイプ1（AT$_1$）受容体に結合してアンジオテンシンⅡと拮抗し、主にその血管収縮作用を抑制することによって生ずる末梢血管抵抗の低下により降圧作用を示す。アムロジピンベシル酸塩はジヒドロピリジン系カルシウム拮抗薬として作用を示すが、作用の発現が緩徐で持続的であるという特徴を有する。ジヒドロピリジン系カルシウム拮抗薬は膜電位依存性L型カルシウムチャネルに特異的に結合し、細胞内へのカルシウムの流入を減少させることにより、冠血管や末梢血管の平滑筋を弛緩させる。

ザクラス

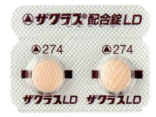

効能・効果	高血圧症	用法・用量	成人には1日1回1錠（アジルサルタン/アムロジピンとして20mg/2.5mgまたは20mg/5mg）を経口投与する。本剤は高血圧治療の第一選択薬として用いない
禁忌	本剤の成分あるいは他のジヒドロピリジン系薬剤に対する過敏症の既往歴のある患者、妊婦または妊娠している可能性のある婦人、アリスキレンフマル酸塩を投与中の糖尿病患者（ただし、他の降圧治療を行ってもなお血圧のコントロールが著しく不良の患者を除く）	副作用	重大な副作用：血管浮腫、ショック、失神、意識消失、急性腎不全、高カリウム血症、劇症肝炎、肝機能障害、黄疸、横紋筋融解症、無顆粒球症、白血球減少、血小板減少、房室ブロック
半減期	記載なし		

アジルサルタン・アムロジピンベシル酸塩配合

表　歯科医院で処方される主な併用薬との相互作用

併用薬	相互作用	方策
抗菌薬 サワシリン（アモキシシリン水和物）	特になし	処方可
ケフラール（セファクロル）	特になし	処方可
フロモックス（セフカペン ピボキシル塩酸塩水和物）	特になし	処方可
メイアクトMS（セフジトレン ピボキシル）	特になし	処方可
クラリシッド、クラリス（クラリスロマイシン）	特になし	処方可
ジスロマック（アジスロマイシン水和物）	特になし	処方可
クラビット（レボフロキサシン水和物）	特になし	処方可
抗炎症薬および鎮痛薬 カロナール（アセトアミノフェン）	特になし	処方可
SG（イソプロピルアンチピリン、アセトアミノフェン、アリルイソプロピルアセチル尿素、無水カフェイン）	特になし	処方可
ロキソニン（ロキソプロフェンナトリウム水和物）	本剤の降圧作用減弱、腎機能障害のある患者では悪化のおそれ——非ステロイド性抗炎症薬のプロスタグランジン合成阻害による	慎重を要する
ボルタレン（ジクロフェナクナトリウム）	本剤の降圧作用減弱、腎機能障害のある患者では悪化のおそれ——非ステロイド性抗炎症薬のプロスタグランジン合成阻害による	慎重を要する
抗真菌薬または抗ウイルス薬 フロリード（ミコナゾール）	特になし	処方可
イトリゾール（イトラコナゾール）	特になし	処方可
バルトレックス（バラシクロビル塩酸塩）	特になし	処方可
ゾビラックス（アシクロビル）	特になし	処方可
局所麻酔薬 エピリド、オーラ、キシロカイン（アドレナリン含有リドカイン塩酸塩）	特になし	処方可
シタネスト-オクタプレシン（プロピトカイン塩酸塩・フェリプレシン）	特になし	処方可
胃粘膜保護薬 ムコスタ（レバミピド）	特になし	処方可

※高血圧,動脈硬化,心不全,甲状腺機能亢進,糖尿病のある患者および血管攣縮の既往のある患者におけるアドレナリン含有局所麻酔薬の使用は原則禁忌。

……処方可　……慎重を要する　……減量、休薬など　……併用禁忌／原則禁忌

One Point　NSAIDSとの併用に注意

　本剤は腎機能障害のある患者や肝機能障害のある患者には慎重投与が必要である。また、降圧作用が減弱することがあるので、NSAIDSは投与せず、他の薬剤への変更をおすすめする。アムロジピン代謝には主にCYP3A4が関与しているため、その阻害剤である抗菌剤エリスロマイシンの投与には注意が必要。副作用として顔面、口腔内に浮腫を来たすことがある。

降圧薬

Amlodipine Besilate

アムロジピンベシル酸塩

より作用時間の長い第三世代カルシウム拮抗薬のひとつ。細胞膜上に存在するカルシウムチャネルに結合して細胞内へのカルシウム（Ca^{2+}）流入を阻害し、血管収縮を抑制する。血管を拡張する作用が強い（血管選択性）。

アムロジン

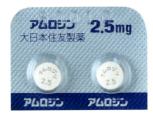

ノルバスク

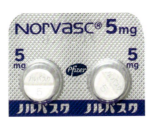

後 アムロジピン

「あすか」「アメル」「イセイ」「オーハラ」「科研」「ガレン」「杏林」「クニヒロ」「ケミファ」「コーワ」「サワイ」「サンド」「タイヨー」「タカタ」「武田テバ」「タナベ」「ツルハラ」「トーワ」「日医工」「フソー」「明治」「BMD」「CH」「DSEP」「EMEC」「F」「JG」「KN」「NP」「NS」「QQ」「TCK」「TYK」「YD」「ZE」

効能・効果	高血圧症 狭心症	用法・用量	2.5〜5mgを1日1回、効果不十分の場合1日1回10mgまで増量可、症状により適宜増減
禁忌	妊婦または妊娠の可能性のある者、ジヒドロピリジン系化合物に対し過敏症の既往歴のある患者	副作用	重大な副作用：劇症肝炎、肝機能障害、黄疸、無顆粒球症、白血球減少、血小板減少、房室ブロック、横紋筋融解症
半減期	39時間		

アムロジピンベシル酸塩

表　歯科医院で処方される主な併用薬との相互作用

併用薬		相互作用	方策
抗菌薬	サワシリン（アモキシシリン水和物）	特になし	〇 処方可
	ケフラール（セファクロル）	特になし	〇 処方可
	フロモックス（セフカペン ピボキシル塩酸塩水和物）	特になし	〇 処方可
	メイアクトMS（セフジトレン ピボキシル）	特になし	〇 処方可
	クラリシッド、クラリス（クラリスロマイシン）	本剤の濃度上昇の可能性──クラリスロマイシンによる代謝阻害	慎重を要する
	ジスロマック（アジスロマイシン水和物）	特になし	〇 処方可
	クラビット（レボフロキサシン水和物）	特になし	〇 処方可
抗炎症薬および鎮痛薬	カロナール（アセトアミノフェン）	特になし	〇 処方可
	SG（イソプロピルアンチピリン、アセトアミノフェン、アリルイソプロピルアセチル尿素、無水カフェイン）	特になし	〇 処方可
	ロキソニン（ロキソプロフェンナトリウム水和物）	特になし	〇 処方可
	ボルタレン（ジクロフェナクナトリウム）	特になし	〇 処方可
抗真菌薬または抗ウイルス薬	フロリード（ミコナゾール）	本剤の濃度上昇の可能性──ミコナゾールによる代謝阻害	慎重を要する
	イトリゾール（イトラコナゾール）	CYP3A4阻害薬（エリスロマイシンおよびジルチアゼム）により本剤の血中濃度上昇の報告──イトラコナゾールにより本剤の代謝が競合的に阻害される可能性	慎重を要する
	バルトレックス（バラシクロビル塩酸塩）	特になし	〇 処方可
	ゾビラックス（アシクロビル）	特になし	〇 処方可
局所麻酔薬	エピリド、オーラ、キシロカイン（アドレナリン含有リドカイン塩酸塩）	本剤との相互作用に記載はないが、高血圧患者へのアドレナリン含有局所麻酔薬の使用は原則禁忌。特に必要とする場合には慎重に投与する※	✕ 原則禁忌
	シタネスト-オクタプレシン（プロピトカイン塩酸塩・フェリプレシン）	特になし	〇 処方可
胃粘膜保護薬	ムコスタ（レバミピド）	特になし	〇 処方可

※高血圧、動脈硬化、心不全、甲状腺機能亢進、糖尿病のある患者および血管攣縮の既往のある患者におけるアドレナリン含有局所麻酔薬の使用は原則禁忌。

……処方可　　……慎重を要する　　……減量、休薬など　　……併用禁忌／原則禁忌

One Point　NSAIDSとの併用で降圧への影響が少ない

　本剤の副作用として口渇、口内炎、味覚異常、（連用により）歯肉肥厚（0.1％未満）が記載されている（先発品添付文書より）。
　NSAIDSとの併用で利尿薬、ACE阻害薬、β遮断薬の降圧効果は減弱し、ARBとの併用についてもACE阻害薬と同等に影響を受けるとされている。Ca拮抗薬との併用では、降圧効果への影響は少ないとされる。

降圧薬

Olmesartan Medoxomil

オルメサルタンメドキソミル

代謝されオルメサルタンとして薬効を発揮する(プロドラッグ)。血圧の調節機構であるレニン・アンジオテンシン・アルドステロン系（RAA系）において、産生された生理活性物質アンジオテンシンⅡの受容体に選択的に結合してRAA系を遮断し、昇圧作用を抑える。

オルメテック

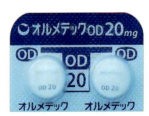

後 オルメサルタン
「アメル」「オーハラ」「杏林」「ケミファ」「サワイ」「三和」「ツルハラ」「トーワ」「日医工」「日新」「ニプロ」「ファイザー」「DSEP」「EE」「JG」「KN」「TCK」「YD」

効能・効果	高血圧症	用法・用量	10～20mgを1日1回、1日5～10mgから開始、上限40mg、年齢、症状により適宜増減
禁忌	本剤の成分に対し過敏症の既往歴のある患者、妊婦または妊娠の可能性のある者、アリスキレンフマル酸塩投与中の糖尿病患者	副作用	重大な副作用：血管浮腫、腎不全、高カリウム血症、ショック、失神、意識消失、肝機能障害、黄疸、血小板減少、低血糖、横紋筋融解症、アナフィラキシー、重度下痢

半減期	10時間

オルメサルタンメドキソミル

表　歯科医院で処方される主な併用薬との相互作用

併用薬		相互作用	方策
抗菌薬	サワシリン（アモキシシリン水和物）	特になし	処方可
	ケフラール（セファクロル）	特になし	処方可
	フロモックス（セフカペン ピボキシル塩酸塩水和物）	特になし	処方可
	メイアクトMS（セフジトレン ピボキシル）	特になし	処方可
	クラリシッド、クラリス（クラリスロマイシン）	特になし	処方可
	ジスロマック（アジスロマイシン水和物）	特になし	処方可
	クラビット（レボフロキサシン水和物）	特になし	処方可
抗炎症薬および鎮痛薬	カロナール（アセトアミノフェン）	特になし	処方可
	SG（イソプロピルアンチピリン、アセトアミノフェン、アリルイソプロピルアセチル尿素、無水カフェイン）	特になし	処方可
	ロキソニン（ロキソプロフェンナトリウム水和物）	本剤の降圧作用減弱、腎機能障害のある患者では悪化のおそれ——非ステロイド性消炎鎮痛薬のプロスタグランジン合成阻害による	慎重を要する
	ボルタレン（ジクロフェナクナトリウム）	本剤の降圧作用減弱、腎機能障害のある患者では悪化のおそれ——非ステロイド性消炎鎮痛薬のプロスタグランジン合成阻害による	慎重を要する
抗真菌薬または抗ウイルス薬	フロリード（ミコナゾール）	特になし	処方可
	イトリゾール（イトラコナゾール）	特になし	処方可
	バルトレックス（バラシクロビル塩酸塩）	特になし	処方可
	ゾビラックス（アシクロビル）	特になし	処方可
局所麻酔薬	エピリド、オーラ、キシロカイン（アドレナリン含有リドカイン塩酸塩）	本剤との相互作用に記載はないが、高血圧患者へのアドレナリン含有局所麻酔薬の使用は原則禁忌。特に必要とする場合には慎重に投与する※	原則禁忌
	シタネスト - オクタプレシン（プロピトカイン塩酸塩・フェリプレシン）	特になし	処方可
胃粘膜保護薬	ムコスタ（レバミピド）	特になし	処方可

※高血圧、動脈硬化、心不全、甲状腺機能亢進、糖尿病のある患者および血管攣縮の既往のある患者におけるアドレナリン含有局所麻酔薬の使用は原則禁忌。

……処方可　……慎重を要する　……減量、休薬など　……併用禁忌／原則禁忌

One Point　NSAIDSの降圧効果への影響に注意する

　その他の副作用として口渇、口内炎（0.1％未満）が記載されている（先発品添付文書より）。
　プロスタグランジンは腎臓におけるナトリウム再吸収抑制作用や抗利尿ホルモンに対する拮抗作用を有しており、また腎血流量の調節を担っている。非ステロイド性抗炎症薬（NSAIDS）によりプロスタグランジンの合成が阻害されるとナトリウム、水の貯留に加え腎機能が低下する可能性がある。

降圧薬

オルメサルタンメドキソミル・アゼルニジピン

オルメサルタンメドキソミルはプロドラッグであり、生体内で活性代謝物であるオルメサルタンに変換され、アンジオテンシンⅡ（AⅡ）タイプ1（AT_1）受容体に選択的に作用してAⅡの結合を競合的に阻害し、昇圧系であるAⅡの薬理作用を抑制する。アゼルニジピンはL型Caチャネル拮抗作用に基づき、血管を拡張させることにより降圧作用を発現する。

レザルタス

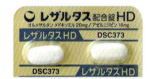

効能・効果	高血圧症	用法・用量	1日1回1錠を朝食後経口投与。本剤は高血圧治療の第一選択薬として用いない
禁忌	本剤の成分に対し過敏症の既往歴のある患者、妊婦または妊娠している可能性のある女性、アゾール系抗真菌剤（経口剤、注射剤）、HIVプロテアーゼ阻害剤、コビシスタット含有製剤、オムビタスビル・パリタプレビル・リトナビルを投与中の患者、アリスキレンフマル酸塩を投与中の糖尿病患者（ただし、他の降圧治療を行ってもなお血圧のコントロールが著しく不良の患者を除く）	副作用	腎不全重大な副作用：血管浮腫、腎不全、高カリウム血症、ショック、失神、意識消失、肝機能障害、血小板減少、低血糖、房室ブロック、横紋筋融解症、アナフィラキシー、重度の下痢、間質性肺炎

半減期	記載なし

オルメサルタンメドキソミル・アゼルニジピン

表　歯科医院で処方される主な併用薬との相互作用

	併用薬	相互作用	方策
抗菌薬	サワシリン（アモキシシリン水和物）	特になし	○ 処方可
	ケフラール（セファクロル）	特になし	○ 処方可
	フロモックス（セフカペン ピボキシル塩酸塩水和物）	特になし	○ 処方可
	メイアクトMS（セフジトレン ピボキシル）	アゼルニジピンの作用が増強されるおそれ	慎重を要する
	クラリシッド、クラリス（クラリスロマイシン）	アゼルニジピンの作用が増強されるおそれ	慎重を要する
	ジスロマック（アジスロマイシン水和物）	特になし	○ 処方可
	クラビット（レボフロキサシン水和物）	特になし	○ 処方可
抗炎症薬および鎮痛薬	カロナール（アセトアミノフェン）	特になし	○ 処方可
	SG（イソプロピルアンチピリン、アセトアミノフェン、アリルイソプロピルアセチル尿素、無水カフェイン）	特になし	○ 処方可
	ロキソニン（ロキソプロフェンナトリウム水和物）	本剤の降圧作用減弱、腎機能障害のある患者では悪化のおそれ――非ステロイド性消炎鎮痛薬のプロスタグランジン合成阻害による	慎重を要する
	ボルタレン（ジクロフェナクナトリウム）	本剤の降圧作用減弱、腎機能障害のある患者では悪化のおそれ――非ステロイド性消炎鎮痛薬のプロスタグランジン合成阻害による	慎重を要する
抗真菌薬または抗ウイルス薬	フロリード（ミコナゾール）	併用によりアゼルニジピンのクリアランスが低下するため	✕ 原則禁忌
	イトリゾール（イトラコナゾール）	併用によりアゼルニジピンのクリアランスが低下するため	✕ 原則禁忌
	バルトレックス（バラシクロビル塩酸塩）	特になし	○ 処方可
	ゾビラックス（アシクロビル）	特になし	○ 処方可
局所麻酔薬	エピリド、オーラ、キシロカイン（アドレナリン含有リドカイン塩酸塩）	本剤との相互作用に記載はないが、高血圧患者へのアドレナリン含有局所麻酔薬の使用は原則禁忌。特に必要とする場合には慎重に投与する※	✕ 原則禁忌
	シタネスト‑オクタプレシン（プロピトカイン塩酸塩・フェリプレシン）	特になし	○ 処方可
胃粘膜保護薬	ムコスタ（レバミピド）	特になし	○ 処方可

※高血圧、動脈硬化、心不全、甲状腺機能亢進、糖尿病のある患者および血管攣縮の既往のある患者におけるアドレナリン含有局所麻酔薬の使用は原則禁忌。

……処方可　……慎重を要する　……減量、休薬など　……併用禁忌／原則禁忌

One Point　マクロライド系抗菌薬やアゾール系抗真菌薬との併用に注意

　アゾール系抗真菌薬と口腔カンジダ症治療薬フロリードとの併用は禁忌である。また、併用注意にはNSAIDSやマクロライド系抗菌薬（エリスロマイシン、クラリスロマイシンなど）があり、前者はオルメサルタンメドキソミルの降圧作用の減弱、後者にはアゼルニジピン作用の増強がある。その他、副作用として口渇、歯肉肥厚、口内炎の発現がある。

降圧薬

カルベジロール

アドレナリン受容体遮断薬のひとつ。α・β受容体の両方を遮断する。アドレナリンのα₁受容体遮断による末梢血管の収縮作用の低下と、β₁・β₂受容体遮断による心拍・拍出量抑制での血圧降下をもたらす。

アーチスト

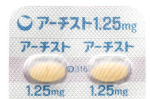

㊡ カルベジロール
「アメル」「サワイ」「タナベ」「テバ」「トーワ」「ファイザー」「JG」「Me」「TCK」

効能・効果	軽症～中等症の本態性高血圧症、腎実質性高血圧症 狭心症、虚血性心疾患または拡張型心筋症に基づく慢性心不全でアンジオテンシン変換酵素阻害薬、利尿薬、ジギタリス製剤などによる治療を受けている患者、頻脈性心房細動	用法・用量	10～20mgを1日1回、年齢、症状により適宜増減
警告	慢性心不全患者に使用する場合には、慢性心不全治療の経験が十分にある医師のもとで使用すること。	禁忌	気管支喘息、気管支痙攣のおそれのある患者、糖尿病性ケトアシドーシス、代謝性アシドーシス、高度の徐脈、第2度、第3度の房室ブロック、洞房ブロック、心原性ショック、強心薬または血管拡張薬の静脈内投与が必要な心不全、非代償性の心不全、肺高血圧症による右心不全、未治療の褐色細胞腫の患者、妊婦または妊娠の可能性、本剤の成分に対し過敏症の既往歴のある患者
		副作用	重大な副作用：高度の徐脈、ショック、完全房室ブロック、心不全、心停止、肝機能障害、黄疸、急性腎不全、中毒性表皮壊死融解症、皮膚粘膜眼症候群、アナフィラキシー

半減期 ▸ 10mgで3～4時間

表 歯科医院で処方される主な併用薬との相互作用

併用薬		相互作用	方策
抗菌薬	サワシリン（アモキシシリン水和物）	特になし	○ 処方可
	ケフラール（セファクロル）	特になし	○ 処方可
	フロモックス（セフカペン ピボキシル塩酸塩水和物）	特になし	○ 処方可
	メイアクトMS（セフジトレン ピボキシル）	特になし	○ 処方可
	クラリシッド、クラリス（クラリスロマイシン）	特になし	○ 処方可
	ジスロマック（アジスロマイシン水和物）	特になし	○ 処方可
	クラビット（レボフロキサシン水和物）	特になし	○ 処方可
抗炎症薬および鎮痛薬	カロナール（アセトアミノフェン）	特になし	○ 処方可
	SG（イソプロピルアンチピリン、アセトアミノフェン、アリルイソプロピルアセチル尿素、無水カフェイン）	特になし	○ 処方可
	ロキソニン（ロキソプロフェンナトリウム水和物）	本剤の降圧作用減弱の可能性——非ステロイド性消炎鎮痛薬のプロスタグランジン合成阻害による	慎重を要する
	ボルタレン（ジクロフェナクナトリウム）	本剤の降圧作用減弱の可能性——非ステロイド性消炎鎮痛薬のプロスタグランジン合成阻害による	慎重を要する
抗真菌薬または抗ウイルス薬	フロリード（ミコナゾール）	特になし	○ 処方可
	イトリゾール（イトラコナゾール）	特になし	○ 処方可
	バルトレックス（バラシクロビル塩酸塩）	特になし	○ 処方可
	ゾビラックス（アシクロビル）	特になし	○ 処方可
局所麻酔薬	エピリド、オーラ、キシロカイン（アドレナリン含有リドカイン塩酸塩）	アドレナリンによる血圧上昇の可能性、ただし高血圧患者へのアドレナリン含有局所麻酔薬の使用は原則禁忌。特に必要とする場合には慎重に投与する※	✕ 原則禁忌
	シタネスト‐オクタプレシン（プロピトカイン塩酸塩・フェリプレシン）	特になし	○ 処方可
胃粘膜保護薬	ムコスタ（レバミピド）	特になし	○ 処方可

※高血圧、動脈硬化、心不全、甲状腺機能亢進、糖尿病のある患者および血管攣縮の既往のある患者におけるアドレナリン含有局所麻酔薬の使用は原則禁忌。

……処方可　……慎重を要する　……減量、休薬など　……併用禁忌／原則禁忌

One Point アドレナリン含有局所麻酔薬の使用は避ける

　本剤は高血圧症だけでなく、狭心症、慢性心不全の治療にも使用される。アドレナリン受容体に対し非選択的なβ遮断を行い、$α_1$遮断とβ遮断の効力比は1：8とされる。本剤とアドレナリンを併用する場合、β受容体遮断によりα受容体刺激による末梢血管収縮作用が優位になると考えられている。

降圧薬

Candesartan Cilexetil

カンデサルタンシレキセチル

代謝されカンデサルタンとして薬効を発揮する（プロドラッグ）。レニン・アンジオテンシン・アルドステロン系（RAA系）における生理活性物質アンジオテンシンIIの受容体に結合し、昇圧作用を抑える。慢性心不全にも適応がある。

ブロプレス

後 カンデサルタン
「アメル」「オーハラ」「科研」「杏林」「ケミファ」「サノフィ」「サワイ」「サンド」「三和」「ゼリア」「タナベ」「ツルハラ」「テバ」「トーワ」「日医工」「日新」「ニプロ」「ファイザー」「明治」「モチダ」「BMD」「DK」「DSEP」「EE」「FFP」「JG」「KN」「KO」「KOG」「TCK」「YD」「ZE」

効能・効果	高血圧症、腎実質性高血圧症（一部の製品）軽症～中等症の慢性心不全で、アンジオテンシン変換酵素阻害薬投与が適切でない場合
禁忌	本剤の成分に対し過敏症の既往歴のある患者、妊婦または妊娠の可能性のある者、アリスキレンフマル酸塩投与中の糖尿病患者

用法・用量	高血圧症 4～8mgを1日1回、12mgまで増量可、腎機能障害を伴う場合は2mgから開始、必要に応じ8mgまで増量可 / 腎実質性高血圧症 1日1回、2mgから開始、必要に応じ8mgまで増量可
副作用	重大な副作用：血管浮腫、ショック、失神、意識消失、急性腎不全、高カリウム血症、肝機能障害、黄疸、無顆粒球症、横紋筋融解症、間質性肺炎、低血糖

半減期	4mgでおよそ9.5時間

カンデサルタンシレキセチル

表　歯科医院で処方される主な併用薬との相互作用

併用薬		相互作用	方策
抗菌薬	サワシリン（アモキシシリン水和物）	特になし	処方可
	ケフラール（セファクロル）	特になし	処方可
	フロモックス（セフカペン ピボキシル塩酸塩水和物）	特になし	処方可
	メイアクトMS（セフジトレン ピボキシル）	特になし	処方可
	クラリシッド、クラリス（クラリスロマイシン）	特になし	処方可
	ジスロマック（アジスロマイシン水和物）	特になし	処方可
	クラビット（レボフロキサシン水和物）	特になし	処方可
抗炎症薬および鎮痛薬	カロナール（アセトアミノフェン）	特になし	処方可
	SG（イソプロピルアンチピリン、アセトアミノフェン、アリルイソプロピルアセチル尿素、無水カフェイン）	特になし	処方可
	ロキソニン（ロキソプロフェンナトリウム水和物）	本剤の降圧作用減弱、腎機能障害のある患者では悪化のおそれ——非ステロイド性消炎鎮痛薬のプロスタグランジン合成阻害による	慎重を要する
	ボルタレン（ジクロフェナクナトリウム）	本剤の降圧作用減弱、腎機能障害のある患者では悪化のおそれ——非ステロイド性消炎鎮痛薬のプロスタグランジン合成阻害による	慎重を要する
抗真菌薬または抗ウイルス薬	フロリード（ミコナゾール）	特になし	処方可
	イトリゾール（イトラコナゾール）	特になし	処方可
	バルトレックス（バラシクロビル塩酸塩）	特になし	処方可
	ゾビラックス（アシクロビル）	特になし	処方可
局所麻酔薬	エピリド、オーラ、キシロカイン（アドレナリン含有リドカイン塩酸塩）	本剤との相互作用に記載はないが、高血圧患者へのアドレナリン含有局所麻酔薬の使用は原則禁忌。特に必要とする場合には慎重に投与する※	原則禁忌
	シタネスト-オクタプレシン（プロピトカイン塩酸塩・フェリプレシン）	特になし	処方可
胃粘膜保護薬	ムコスタ（レバミピド）	特になし	処方可

※高血圧、動脈硬化、心不全、甲状腺機能亢進、糖尿病のある患者および血管攣縮の既往のある患者におけるアドレナリン含有局所麻酔薬の使用は原則禁忌。

……処方可　……慎重を要する　……減量、休薬など　……併用禁忌／原則禁忌

One Point　プロスタグランジン合成阻害による腎血流量低下

　その他の副作用として口渇、味覚異常（0.1%～0.5%未満）が記載されている（先発品添付文書より）。
　NSAIDSによる腎障害は、血管拡張作用をもつプロスタグランジンの合成阻害による虚血性腎障害である。セレコキシブ（商品名セレコックス）のようなCOX-2を選択的に阻害する薬もあるが、COX-2選択性にかかわらず、NSAIDS使用の際は虚血性腎障害の発症に注意する必要がある。

降圧薬

シルニジピン
Cilnidipine

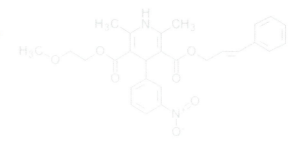

ジヒドロピリジン系カルシウム拮抗薬。膜電位依存性L型カルシウムチャネルに特異的に結合し、細胞内へのカルシウムの流入を減少させることにより、冠血管や末梢血管の平滑筋を弛緩させる。また、N型カルシウムチャネル抑制に起因する交感神経終末からのノルエピネフリン放出抑制も示唆されている。

アテレック

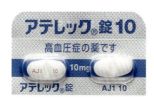

後 シルニジピン
「サワイ」「タイヨー」「テバ」「AFP」「FFP」「JG」

効能・効果	高血圧症	用法・用量	1日1回5〜10mgを朝食後経口投与する。なお、年齢、症状により適宜増減する。効果不十分の場合には、1日1回20mgまで増量することができる。ただし、重症高血圧症には1日1回10〜20mgを朝食後経口投与する
禁忌	妊婦または妊娠している可能性のある婦人	副作用	重大な副作用：肝機能障害、黄疸、血小板減少

半減期 5.2〜8.1時間

シルニジピン

表 歯科医院で処方される主な併用薬との相互作用

併用薬		相互作用	方策
抗菌薬	サワシリン（アモキシシリン水和物）	特になし	処方可
	ケフラール（セファクロル）	特になし	処方可
	フロモックス（セフカペン ピボキシル塩酸塩水和物）	特になし	処方可
	メイアクトMS（セフジトレン ピボキシル）	特になし	処方可
	クラリシッド、クラリス（クラリスロマイシン）	特になし	処方可
	ジスロマック（アジスロマイシン水和物）	特になし	処方可
	クラビット（レボフロキサシン水和物）	特になし	処方可
抗炎症薬および鎮痛薬	カロナール（アセトアミノフェン）	特になし	処方可
	SG（イソプロピルアンチピリン、アセトアミノフェン、アリルイソプロピルアセチル尿素、無水カフェイン）	特になし	処方可
	ロキソニン（ロキソプロフェンナトリウム水和物）	本剤の降圧作用減弱、腎機能障害のある患者では重度高カリウム血症のおそれ——非ステロイド性消炎鎮痛薬のプロスタグランジン合成阻害による	慎重を要する
	ボルタレン（ジクロフェナクナトリウム）	本剤の降圧作用減弱、腎機能障害のある患者では重度高カリウム血症のおそれ——非ステロイド性消炎鎮痛薬のプロスタグランジン合成阻害による	慎重を要する
抗真菌薬または抗ウイルス薬	フロリード（ミコナゾール）	本剤の薬物代謝酵素のCYP3A4を阻害するため、血中濃度を上昇するおそれ	慎重を要する
	イトリゾール（イトラコナゾール）	本剤の薬物代謝酵素のCYP3A4を阻害するため、血中濃度を上昇するおそれ	慎重を要する
	バルトレックス（バラシクロビル塩酸塩）	特になし	処方可
	ゾビラックス（アシクロビル）	特になし	処方可
局所麻酔薬	エピリド、オーラ、キシロカイン（アドレナリン含有リドカイン塩酸塩）	本剤との相互作用に記載はないが、高血圧患者へのアドレナリン含有局所麻酔薬の使用は原則禁忌。特に必要とする場合には慎重に投与する※	原則禁忌
	シタネスト‐オクタプレシン（プロピトカイン塩酸塩・フェリプレシン）	特になし	処方可
胃粘膜保護薬	ムコスタ（レバミピド）	特になし	処方可

※高血圧、動脈硬化、心不全、甲状腺機能亢進、糖尿病のある患者および血管攣縮の既往のある患者におけるアドレナリン含有局所麻酔薬の使用は原則禁忌。

……処方可　……慎重を要する　……減量、休薬など　……併用禁忌／原則禁忌

One Point　アゾール系抗真菌薬との併用に注意

　口腔カンジダ症に用いるアゾール系抗真菌薬の併用には注意が必要。本剤の重大な副作用としては肝機能障害、黄疸、血小板減少がある。その他、口渇や歯肉肥厚がある。

降圧薬

テルミサルタン
Telmisartan

血圧の調整機構レニン・アンジオテンシン・アルドステロン系（RAA系）における生理活性物質アンジオテンシンⅡ受容体に作用し、血管収縮などの作用を抑制する。糖尿病治療薬のピオグリタゾン塩酸塩（→90ページ）と同一の構造を含み、同じように核内受容体PPAR-γ活性化作用を持つことがわかっている。

ミカルディス

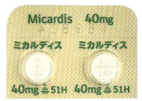

後 テルミサルタン
「オーハラ」「杏林」「ケミファ」「サワイ」「サンド」「三和」「武田テバ」「タナベ」「ツルハラ」「トーワ」「日医工」「ニプロ」「ファイザー」「フェルゼン」「明治」「DSEP」「EE」「FFP」「JG」「KN」「NPI」「TCK」「YD」

効能・効果	高血圧症	用法・用量	40mgを1日1回、20mgから開始し漸増、上限80mg、年齢、症状により適宜増減
禁忌	本剤の成分に対し過敏症の既往歴のある患者、妊婦または妊娠の可能性のある者、胆汁の分泌がきわめて悪い、または重篤な肝機能障害の患者、アリスキレンフマル酸塩投与中の糖尿病患者	副作用	重大な副作用：血管浮腫、高カリウム血症、腎機能障害、ショック、失神、意識消失、肝機能障害、黄疸、低血糖、アナフィラキシー、間質性肺炎、横紋筋融解症

| 半減期 | 40mgでおよそ20時間 |

テルミサルタン

表 歯科医院で処方される主な併用薬との相互作用

併用薬		相互作用	方策
抗菌薬	サワシリン（アモキシシリン水和物）	特になし	〇 処方可
	ケフラール（セファクロル）	特になし	〇 処方可
	フロモックス（セフカペン ピボキシル塩酸塩水和物）	特になし	〇 処方可
	メイアクトMS（セフジトレン ピボキシル）	特になし	〇 処方可
	クラリシッド、クラリス（クラリスロマイシン）	特になし	〇 処方可
	ジスロマック（アジスロマイシン水和物）	特になし	〇 処方可
	クラビット（レボフロキサシン水和物）	特になし	〇 処方可
抗炎症薬および鎮痛薬	カロナール（アセトアミノフェン）	特になし	〇 処方可
	SG（イソプロピルアンチピリン、アセトアミノフェン、アリルイソプロピルアセチル尿素、無水カフェイン）	特になし	〇 処方可
	ロキソニン（ロキソプロフェンナトリウム水和物）	本剤の降圧作用減弱、腎機能障害のある患者では急性腎不全のおそれ——非ステロイド性抗炎症薬のプロスタグランジン合成阻害による	慎重を要する
	ボルタレン（ジクロフェナクナトリウム）	本剤の降圧作用減弱、腎機能障害のある患者では急性腎不全のおそれ——非ステロイド性抗炎症薬のプロスタグランジン合成阻害による	慎重を要する
抗真菌薬または抗ウイルス薬	フロリード（ミコナゾール）	特になし	〇 処方可
	イトリゾール（イトラコナゾール）	特になし	〇 処方可
	バルトレックス（バラシクロビル塩酸塩）	特になし	〇 処方可
	ゾビラックス（アシクロビル）	特になし	〇 処方可
局所麻酔薬	エピリド、オーラ、キシロカイン（アドレナリン含有リドカイン塩酸塩）	本剤との相互作用に記載はないが、高血圧患者へのアドレナリン含有局所麻酔薬の使用は原則禁忌。特に必要とする場合には慎重に投与する※	✗ 原則禁忌
	シタネスト‐オクタプレシン（プロピトカイン塩酸塩・フェリプレシン）	特になし	〇 処方可
胃粘膜保護薬	ムコスタ（レバミピド）	特になし	〇 処方可

※高血圧、動脈硬化、心不全、甲状腺機能亢進、糖尿病のある患者および血管攣縮の既往のある患者におけるアドレナリン含有局所麻酔薬の使用は原則禁忌。

……処方可　……慎重を要する　……減量、休薬など　……併用禁忌／原則禁忌

One Point　本剤とNSAIDSの併用は避ける。とくに高齢者には注意を

その他の副作用として口渇、口内炎（0.5％未満）が記載されている（先発品添付文書より）。

高齢者では軽度の腎機能低下を認めることが多く、NSAIDSはさらに腎機能を低下させるリスクが高いため、長期間の使用や常用は避け、使用する場合は低用量とする。

降圧薬

ニフェジピン
Nifedipine

第一世代ジヒドロピリジン系カルシウム拮抗薬。細胞内へのカルシウム（Ca^{2+}）流入を選択的に阻害し、血管の平滑筋細胞の収縮を抑制して血管拡張作用をもたらす。カルシウム拮抗薬では、頻度は低いものの他の降圧薬でもみられる浮腫のほか、歯肉増殖の副作用が現れる場合がある。

アダラート
（2021年3月末経過措置満了）

後 **セパミット**
後 **ニフェジピン**
「サワイ」「ツルハラ」「テバ」「TC」

効能・効果	高血圧症、腎実質性高血圧症、腎血管性高血圧症、狭心症、異型狭心症	用法・用量	20～40mgを1日1回、40mgで効果不十分な場合40mgを1日2回まで増量可
禁忌	本剤の成分に対し過敏症の既往歴の、妊婦（20週未満）または妊娠の可能性のある者、心原性ショックの患者	副作用	重大な副作用：紅皮症（剥脱性皮膚炎）、無顆粒球症、血小板減少、肝機能障害、黄疸、意識障害

半減期	2.6時間（アダラート）

ニフェジピン

表　歯科医院で処方される主な併用薬との相互作用

併用薬		相互作用	方策
抗菌薬	サワシリン（アモキシシリン水和物）	特になし	○ 処方可
	ケフラール（セファクロル）	特になし	○ 処方可
	フロモックス（セフカペン ピボキシル塩酸塩水和物）	特になし	○ 処方可
	メイアクトMS（セフジトレン ピボキシル）	特になし	○ 処方可
	クラリシッド、クラリス（クラリスロマイシン）	本剤の血中濃度上昇に伴う作用増強等の可能性——クラリスロマイシンによる代謝阻害	慎重を要する
	ジスロマック（アジスロマイシン水和物）	特になし	○ 処方可
	クラビット（レボフロキサシン水和物）	特になし	○ 処方可
抗炎症薬および鎮痛薬	カロナール（アセトアミノフェン）	特になし	○ 処方可
	SG（イソプロピルアンチピリン、アセトアミノフェン、アリルイソプロピルアセチル尿素、無水カフェイン）	特になし	○ 処方可
	ロキソニン（ロキソプロフェンナトリウム水和物）	特になし	○ 処方可
	ボルタレン（ジクロフェナクナトリウム）	特になし	○ 処方可
抗真菌薬または抗ウイルス薬	フロリード（ミコナゾール）	本剤の血中濃度上昇の可能性——ミコナゾールによる代謝阻害	慎重を要する
	イトリゾール（イトラコナゾール）	本剤の血中濃度上昇、心機能低下の可能性——イトラコナゾールによるCYP3A4阻害	慎重を要する
	バルトレックス（バラシクロビル塩酸塩）	特になし	○ 処方可
	ゾビラックス（アシクロビル）	特になし	○ 処方可
局所麻酔薬	エピリド、オーラ、キシロカイン（アドレナリン含有リドカイン塩酸塩）	本剤との相互作用に記載はないが、高血圧患者へのアドレナリン含有局所麻酔薬の使用は原則禁忌。特に必要とする場合には慎重に投与する※	✕ 原則禁忌
	シタネスト - オクタプレシン（プロピトカイン塩酸塩・フェリプレシン）	特になし	○ 処方可
胃粘膜保護薬	ムコスタ（レバミピド）	特になし	○ 処方可

※高血圧、動脈硬化、心不全、甲状腺機能亢進、糖尿病のある患者および血管攣縮の既往のある患者におけるアドレナリン含有局所麻酔薬の使用は原則禁忌。

……処方可　……慎重を要する　……減量、休薬など　……併用禁忌／原則禁忌

One Point　Ca拮抗薬では歯肉肥厚が発現することがある

　本剤は主としてCYP3A4によって代謝されるため、関連の相互作用に注意する。
　その他の副作用として口渇、歯肉肥厚（0.1％未満）が記載されている。歯肉肥厚がみられた場合は投与を中止することとされている（先発品添付文書より）。

降圧薬

Valsartan

バルサルタン

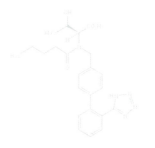

レニン・アンジオテンシン・アルドステロン系（RAA系）における生理活性物質アンジオテンシンⅡのAT₁受容体に選択的に結合し、アンジオテンシンⅡによる血管収縮などの作用を抑制する。カルシウム拮抗薬やサイアザイド系利尿薬との配合薬が開発されている。

ディオバン

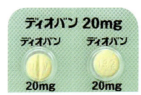

後 バルサルタン

「アメル」「イセイ」「オーハラ」「科研」「杏林」「ケミファ」「サノフィ」「サワイ」「サンド」「タカタ」「タナベ」「ツルハラ」「テバ」「トーワ」「日医工」「日新」「ニプロ」「ファイザー」「モチダ」「BMD」「DK」「DSEP」「EE」「FFP」「JG」「KN」「Me」「NPI」「SN」「TCK」「YD」「ZE」

効能・効果	高血圧症	用法・用量	40〜80mgを1日1回、1日160mgまで増量可、年齢、症状により適宜増減
禁忌	本剤の成分に対し過敏症の既往歴のある患者、妊婦または妊娠の可能性のある者、アリスキレン投与中の糖尿病患者	副作用	重大な副作用：血管浮腫、肝炎、腎不全、高カリウム血症、ショック、失神、意識消失、無顆粒球症、白血球減少、血小板減少、間質性肺炎、低血糖、横紋筋融解症、中毒性表皮壊死融解症、皮膚粘膜眼症候群、多形紅斑、天疱瘡、類天疱瘡

| 半減期 | 80mgでおよそ4時間 |

表　歯科医院で処方される主な併用薬との相互作用

	併用薬	相互作用	方策
抗菌薬	サワシリン（アモキシシリン水和物）	特になし	○ 処方可
	ケフラール（セファクロル）	特になし	○ 処方可
	フロモックス（セフカペン ピボキシル塩酸塩水和物）	特になし	○ 処方可
	メイアクトMS（セフジトレン ピボキシル）	特になし	○ 処方可
	クラリシッド、クラリス（クラリスロマイシン）	特になし	○ 処方可
	ジスロマック（アジスロマイシン水和物）	特になし	○ 処方可
	クラビット（レボフロキサシン水和物）	特になし	○ 処方可
抗炎症薬および鎮痛薬	カロナール（アセトアミノフェン）	特になし	○ 処方可
	SG（イソプロピルアンチピリン、アセトアミノフェン、アリルイソプロピルアセチル尿素、無水カフェイン）	特になし	○ 処方可
	ロキソニン（ロキソプロフェンナトリウム水和物）	本剤の降圧作用減弱、腎機能障害のある患者では悪化のおそれ——非ステロイド性消炎鎮痛薬のプロスタグランジン合成阻害による	慎重を要する
	ボルタレン（ジクロフェナクナトリウム）	本剤の降圧作用減弱、腎機能障害のある患者では悪化のおそれ——非ステロイド性消炎鎮痛薬のプロスタグランジン合成阻害による	慎重を要する
抗真菌薬または抗ウイルス薬	フロリード（ミコナゾール）	特になし	○ 処方可
	イトリゾール（イトラコナゾール）	特になし	○ 処方可
	バルトレックス（バラシクロビル塩酸塩）	特になし	○ 処方可
	ゾビラックス（アシクロビル）	特になし	○ 処方可
局所麻酔薬	エピリド、オーラ、キシロカイン（アドレナリン含有リドカイン塩酸塩）	本剤との相互作用に記載はないが、高血圧患者へのアドレナリン含有局所麻酔薬の使用は原則禁忌。特に必要とする場合には慎重に投与する※	✗ 原則禁忌
	シタネスト‐オクタプレシン（プロピトカイン塩酸塩・フェリプレシン）	特になし	○ 処方可
胃粘膜保護薬	ムコスタ（レバミピド）	特になし	○ 処方可

※高血圧、動脈硬化、心不全、甲状腺機能亢進、糖尿病のある患者および血管攣縮の既往のある患者におけるアドレナリン含有局所麻酔薬の使用は原則禁忌。

……処方可　……慎重を要する　……減量、休薬など　……併用禁忌／原則禁忌

One Point　NSAIDSのCOX阻害による腎血流減少

　その他の副作用として口渇、味覚異常（0.1％未満）が記載されている（先発品添付文書より）。

　プロスタグランジンは腎臓におけるナトリウム再吸収抑制作用や抗利尿ホルモンに対する拮抗作用に加え、腎血流量の調節を担っている。プロスタグランジンの合成が阻害されるとナトリウム、水の貯留により血圧が上昇し、また腎血流減少により腎機能の低下をきたすと考えられる。

降圧薬

Valsartan - Amlodipine Besilate

バルサルタン・アムロジピンベシル酸塩

アンジオテンシンⅡ受容体拮抗薬バルサルタンとカルシウム拮抗薬アムロジピンベシル酸塩の配合薬。複数の薬剤をひとつの薬として服用することができる。配合薬では併用するより飲み忘れなどが起こりにくく、また自己負担が減るというメリットをもつ。

エックスフォージ

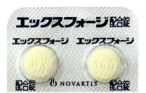

㊡アムバロ
「アメル」「イセイ」「オーハラ」「科研」「杏林」「ケミファ」「サワイ」「サンド」「タナベ」「テバ」「トーワ」「日医工」「日新」「ニットー」「ニプロ」「ファイザー」「DSEP」「EE」「FFP」「JG」「KN」「SN」「TCK」「YD」

効能・効果	高血圧症	用法・用量	1錠を1日1回
禁忌	本剤の成分あるいはジヒドロピリジン系化合物に対し過敏症の既往歴のある患者、妊婦または妊娠の可能性のある者、アリスキレン投与中の糖尿病患者	副作用	重大な副作用：血管浮腫、劇症肝炎、肝炎、肝機能障害、黄疸、腎不全、高カリウム血症、ショック、失神、意識消失、無顆粒球症、白血球減少、血小板減少、間質性肺炎、低血糖、房室ブロック、横紋筋融解症、中毒性表皮壊死融解症、皮膚粘膜眼症候群、多形紅斑、天疱瘡、類天疱瘡

| 半減期 | 1錠でバルサルタン：3.9時間；アムロジピン：39時間 |

表　歯科医院で処方される主な併用薬との相互作用

併用薬	相互作用	方策
抗菌薬 サワシリン（アモキシシリン水和物）	特になし	処方可
ケフラール（セファクロル）	特になし	処方可
フロモックス（セフカペン ピボキシル塩酸塩水和物）	特になし	処方可
メイアクトMS（セフジトレン ピボキシル）	特になし	処方可
クラリシッド、クラリス（クラリスロマイシン）	アムロジピンの濃度上昇の可能性──クラリスロマイシンによる代謝阻害	慎重を要する
ジスロマック（アジスロマイシン水和物）	特になし	処方可
クラビット（レボフロキサシン水和物）	特になし	処方可
抗炎症薬および鎮痛薬 カロナール（アセトアミノフェン）	特になし	処方可
SG（イソプロピルアンチピリン、アセトアミノフェン、アリルイソプロピルアセチル尿素、無水カフェイン）	特になし	処方可
ロキソニン（ロキソプロフェンナトリウム水和物）	バルサルタンの降圧作用減弱、腎機能障害のある患者では悪化のおそれ──非ステロイド性消炎鎮痛薬のプロスタグランジン合成阻害による	慎重を要する
ボルタレン（ジクロフェナクナトリウム）	バルサルタンの降圧作用減弱、腎機能障害のある患者では悪化のおそれ──非ステロイド性消炎鎮痛薬のプロスタグランジン合成阻害による	慎重を要する
抗真菌薬または抗ウイルス薬 フロリード（ミコナゾール）	アムロジピンの濃度上昇の可能性──ミコナゾールによる代謝阻害	慎重を要する
イトリゾール（イトラコナゾール）	CYP3A4阻害薬（エリスロマイシンおよびジルチアゼム）によりアムロジピンの血中濃度上昇の報告──イトラコナゾールによりアムロジピンの代謝が競合的に阻害される可能性	慎重を要する
バルトレックス（バラシクロビル塩酸塩）	特になし	処方可
ゾビラックス（アシクロビル）	特になし	処方可
局所麻酔薬 エピリド、オーラ、キシロカイン（アドレナリン含有リドカイン塩酸塩）	本剤との相互作用に記載はないが、高血圧患者へのアドレナリン含有局所麻酔薬の使用は原則禁忌。特に必要とする場合には慎重に投与する※	原則禁忌
シタネスト-オクタプレシン（プロピトカイン塩酸塩・フェリプレシン）	特になし	処方可
胃粘膜保護薬 ムコスタ（レバミピド）	特になし	処方可

※高血圧、動脈硬化、心不全、甲状腺機能亢進、糖尿病のある患者および血管攣縮の既往のある患者におけるアドレナリン含有局所麻酔薬の使用は原則禁忌。

……処方可　……慎重を要する　……減量、休薬など　……併用禁忌／原則禁忌

One Point　配合薬それぞれの相互作用を考慮する

　アムロジピンベシル酸塩の代謝には主にCYP3A4が関与していると考えられている。クラリスロマイシンにおいてはCa拮抗薬（CYP3A4で代謝される薬剤）との相互作用について、血中濃度上昇に伴う作用増強等の可能性（「クラリス錠200」添付文書より）、ミコナゾールにおいてはジヒドロピリジン系Ca拮抗薬との相互作用について、血中濃度が上昇するおそれがあること（「フロリードゲル経口用2%」添付文書より）が記載されている。

降圧薬

ビソプロロールフマル酸塩

Bisoprolol Fumarate

選択的β₁遮断薬のひとつ。アテノロール同様、β₁受容体の遮断により心機能を抑制して血圧を下げる。本剤はβ₁受容体選択性がとりわけ高く、β₂受容体遮断による気管支への影響がより少ないとされる。β遮断薬は高血圧治療の第一選択薬ではないが、狭心症、頻脈など心疾患を合併した高血圧症に使用される。

メインテート

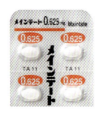

ビソノテープ

※ビソノテープの主成分はビソプロロール（遊離体）

後 ビソプロロールフマル酸塩
「サワイ」「サンド」「テバ」「トーワ」「日医工」「日新」「JG」「ZE」

効能・効果	軽症〜中等症の本態性高血圧症（テープ2mg規格は除く）、頻脈性心房細動 錠のみ 狭心症、心室性期外収縮、次の状態で、アンジオテンシン変換酵素阻害薬またはアンジオテンシンⅡ受容体拮抗薬、利尿薬、ジギタリス製剤等の基礎治療を受けている患者：虚血性心疾患または拡張型心筋症に基づく慢性心不全	用法・用量	錠 5mgを1日1回、年齢、症状により適宜増減 テープ 8mgを1日1回、胸部、上腕部または背部のいずれかに貼付し、貼付後24時間ごとに貼りかえる。年齢、症状により1日1回4mgから開始し、1日最大投与量は8mgとする
警告	錠のみ 慢性心不全患者に使用する場合には、慢性心不全の治療経験が十分にある医師のもとで使用すること。また投与初期および増量時の症状悪化に注意し、慎重に用量調節を行うこと。	禁忌	高度の徐脈、第2度、第3度の房室ブロック、洞房ブロック、洞不全症候群、糖尿病性ケトアシドーシス、代謝性アシドーシス、心原性ショック、肺高血圧症による右心不全、強心薬または血管拡張薬の静脈内投与が必要な心不全、非代償性の心不全、重度末梢循環障害、未治療の褐色細胞腫の患者、妊婦または妊娠の可能性、本剤の成分に対し過敏症の既往歴のある患者
		副作用	重大な副作用：心不全、完全房室ブロック、高度徐脈、洞不全症候群

半減期 錠 5mgでおよそ8.6時間　テープ 8mgでおよそ16時間

ビソプロロールフマル酸塩

表　歯科医院で処方される主な併用薬との相互作用

併用薬	相互作用	方策
抗菌薬 サワシリン（アモキシシリン水和物）	特になし	○ 処方可
ケフラール（セファクロル）	特になし	○ 処方可
フロモックス（セフカペン ピボキシル塩酸塩水和物）	特になし	○ 処方可
メイアクトMS（セフジトレン ピボキシル）	特になし	○ 処方可
クラリシッド、クラリス（クラリスロマイシン）	特になし	○ 処方可
ジスロマック（アジスロマイシン水和物）	特になし	○ 処方可
クラビット（レボフロキサシン水和物）	特になし	○ 処方可
抗炎症薬および鎮痛薬 カロナール（アセトアミノフェン）	特になし	○ 処方可
SG（イソプロピルアンチピリン、アセトアミノフェン、アリルイソプロピルアセチル尿素、無水カフェイン）	特になし	○ 処方可
ロキソニン（ロキソプロフェンナトリウム水和物）	本剤の降圧作用減弱、腎機能障害のある患者では悪化のおそれ――非ステロイド性抗炎症薬のプロスタグランジン合成阻害による	慎重を要する
ボルタレン（ジクロフェナクナトリウム）	本剤の降圧作用減弱、腎機能障害のある患者では悪化のおそれ――非ステロイド性抗炎症薬のプロスタグランジン合成阻害による	慎重を要する
抗真菌薬または抗ウイルス薬 フロリード（ミコナゾール）	特になし	○ 処方可
イトリゾール（イトラコナゾール）	特になし	○ 処方可
バルトレックス（バラシクロビル塩酸塩）	特になし	○ 処方可
ゾビラックス（アシクロビル）	特になし	○ 処方可
局所麻酔薬 エピリド、オーラ、キシロカイン（アドレナリン含有リドカイン塩酸塩）	本剤との相互作用に記載はないが、高血圧患者へのアドレナリン含有局所麻酔薬の使用は原則禁忌。特に必要とする場合には慎重に投与する※	✕ 原則禁忌
シタネスト-オクタプレシン（プロピトカイン塩酸塩・フェリプレシン）	特になし	○ 処方可
胃粘膜保護薬 ムコスタ（レバミピド）	特になし	○ 処方可

※高血圧、動脈硬化、心不全、甲状腺機能亢進、糖尿病のある患者および血管攣縮の既往のある患者におけるアドレナリン含有局所麻酔薬の使用は原則禁忌。

……処方可　……慎重を要する　……減量、休薬など　……併用禁忌／原則禁忌

One Point　テープ製剤のある降圧薬

　テープ製剤は国内では初の経皮吸収型の降圧薬である。さまざまな理由により、経口による投与や服薬管理が困難となった患者に適している。テープ製剤は、2019年1月に「頻脈性心房細動」の効能・効果が追加承認された。

降圧薬

Manidipine Hydrochloride

マニジピン塩酸塩

第二世代ジヒドロピリジン系カルシウム拮抗薬。細胞内へのカルシウム（Ca^{2+}）流入を阻害し、血管収縮を抑制して血圧降下をもたらす。Ca拮抗薬はグレープフルーツジュース摂取により代謝酵素（CYP3A4）が阻害され、作用が増強する可能性があることが知られる。この阻害作用は不可逆的であるため持続する。

カルスロット

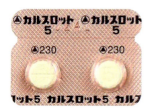

後 マニジピン塩酸塩
「サワイ」「タイヨー」「トーワ」「日医工」「日新」「JG」「YD」

効能・効果	高血圧症	用法・用量	10～20mgを1日1回、1日5mgから開始し必要により漸増
禁忌	妊婦または妊娠の可能性のある者	副作用	重大な副作用：過度の血圧低下による一過性の意識消失、脳梗塞、無顆粒球症、血小板減少、心室性期外収縮、上室性期外収縮、紅皮症
半減期	20mgでおよそ7時間		

マニジピン塩酸塩

表 歯科医院で処方される主な併用薬との相互作用

併用薬		相互作用	方策
抗菌薬	サワシリン（アモキシシリン水和物）	特になし	○ 処方可
	ケフラール（セファクロル）	特になし	○ 処方可
	フロモックス（セフカペン ピボキシル塩酸塩水和物）	特になし	○ 処方可
	メイアクトMS（セフジトレン ピボキシル）	特になし	○ 処方可
	クラリシッド、クラリス（クラリスロマイシン）	本剤の血中濃度上昇に伴う作用増強等の可能性——クラリスロマイシンによる代謝阻害	慎重を要する
	ジスロマック（アジスロマイシン水和物）	特になし	○ 処方可
	クラビット（レボフロキサシン水和物）	特になし	○ 処方可
抗炎症薬および鎮痛薬	カロナール（アセトアミノフェン）	特になし	○ 処方可
	SG（イソプロピルアンチピリン、アセトアミノフェン、アリルイソプロピルアセチル尿素、無水カフェイン）	特になし	○ 処方可
	ロキソニン（ロキソプロフェンナトリウム水和物）	特になし	○ 処方可
	ボルタレン（ジクロフェナクナトリウム）	特になし	○ 処方可
抗真菌薬または抗ウイルス薬	フロリード（ミコナゾール）	本剤の血中濃度上昇の可能性——ミコナゾールによる代謝阻害	慎重を要する
	イトリゾール（イトラコナゾール）	本剤の血中濃度上昇による作用増強と、心機能低下の可能性——イトラコナゾールによる代謝阻害	慎重を要する
	バルトレックス（バラシクロビル塩酸塩）	特になし	○ 処方可
	ゾビラックス（アシクロビル）	特になし	○ 処方可
局所麻酔薬	エピリド、オーラ、キシロカイン（アドレナリン含有リドカイン塩酸塩）	本剤との相互作用に記載はないが、高血圧患者へのアドレナリン含有局所麻酔薬の使用は原則禁忌。特に必要とする場合には慎重に投与する※	× 原則禁忌
	シタネスト-オクタプレシン（プロピトカイン塩酸塩・フェリプレシン）	特になし	○ 処方可
胃粘膜保護薬	ムコスタ（レバミピド）	特になし	○ 処方可

※高血圧、動脈硬化、心不全、甲状腺機能亢進、糖尿病のある患者および血管攣縮の既往のある患者におけるアドレナリン含有局所麻酔薬の使用は原則禁忌。

……処方可　……慎重を要する　……減量、休薬など　……併用禁忌／原則禁忌

One Point　本剤の代謝阻害による相互作用に注意

　歯肉肥厚がみられた場合は投与を中止することとされている。その他の副作用として、口渇（0.1％〜5％未満）、味覚異常、口内炎（0.1％未満）が記載されている（先発品添付文書より）。

　本剤はCYP3A4をはじめとした代謝酵素により代謝される。

特典アリ！

『リコール率UP』で予防歯科をサポート

口腔環境6項目を唾液検査で簡単スクリーニング！

こんなお悩みはございませんか？

▶ 予防歯科を強化したい
▶ 患者さんのモチベーション維持が難しい
▶ リピート件数やケアグッズ販売数が少ない

他施設との差別化を図れます‼

操作は簡単 3 STEP　測定 5分 で検査レポート印刷まで

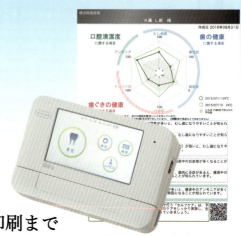

SillHa 直販特別価格（税抜） ｜ 装置本体：198,000円
　　　　　　　　　　　　　　　　 専用試薬： 23,280円 (30テスト)

もっと詳しく知りたい方はご連絡ください!!

デモや資料請求のご依頼で **薬YEARBOOK購読者様限定** の
『歯科治療のご希望事前確認シート』をプレゼント！！

歯科治療のご希望事前確認シートは驚くほど、患者さんに対して自費治療の説明がしやすくなります。
　少しの思いやりで患者満足度と自費率が上がります。
※特典はメールにて送付いたしますので、メールアドレスを必ずご記入ください。

□ SillHaのデモをしてほしい（希望日時：　月　日　時　分）　□ SillHaの資料がほしい

歯科医院様名	
ご氏名	職制
ご住所	〒
電話番号	
E-mail	

QRコードからも
デモ・資料請求を
お申し込み頂けます。

※ お申込みいただきましたらご連絡させていただきます。

FAX 03-3358-8536

アークレイマーケティング株式会社
［担当］伊藤 将之 ［TEL］050-5527-7700

糖尿病治療薬
FOR Diabetes Mellitus

併用禁忌の記載がある掲載薬の一覧

▼投与薬について抽出し、歯科で処方される薬を含むものを赤背景とし、かつ歯科で使われる薬を赤字で示す。

一般名		添付文書の[禁忌]における記載内容
アカルボース	➡ p. 78	特になし
インスリン製剤	➡ p. 80	特になし
グリクラジド	➡ p. 82	特になし
グリメピリド	➡ p. 84	特になし
シタグリプチンリン酸塩水和物	➡ p. 86	特になし
ナテグリニド	➡ p. 88	特になし
ピオグリタゾン塩酸塩	➡ p. 90	特になし
ビルダグリプチン	➡ p. 92	特になし
ボグリボース	➡ p. 94	特になし
ミグリトール	➡ p. 96	特になし
メトホルミン塩酸塩	➡ p. 98	特になし

糖尿病治療薬

アカルボース
Acarbose

食事での糖質の消化吸収を阻害するαグルコシダーゼ阻害薬のひとつ。アカルボースはα-アミラーゼの阻害作用も持ち、血糖改善効果がより高いが、消化不良による消化器症状も多くなる。アカルボース単独では低血糖を起こしにくい。

グルコバイ

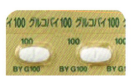

㊥ アカルボース
「サワイ」「テバ」「日医工」「ファイザー」「JG」「NS」「TCK」「YD」

効能・効果	食事療法と運動療法、あるいはさらに経口血糖降下薬／インスリン製剤を使用して効果不十分な糖尿病の食後過血糖の改善	用法・用量	100mgを1日3回（食直前）、1回50mgから開始し忍容性確認の上1回100mgへ増量可、年齢、症状により適宜増減
禁忌	重症ケトーシス、糖尿病性昏睡または前昏睡、重症感染症、手術前後、重篤な外傷、本剤の成分に対し過敏症の既往歴のある患者、妊婦または妊娠の可能性のある者	副作用	重大な副作用：低血糖、腸閉塞、肝機能障害、黄疸
半減期	記載なし		

アカルボース

表　歯科医院で処方される主な併用薬との相互作用

併用薬	相互作用	方策
抗菌薬　サワシリン（アモキシシリン水和物）	特になし	○　処方可
ケフラール（セファクロル）	特になし	○　処方可
フロモックス（セフカペン ピボキシル塩酸塩水和物）	特になし	○　処方可
メイアクトMS（セフジトレン ピボキシル）	特になし	○　処方可
クラリシッド、クラリス（クラリスロマイシン）	特になし	○　処方可
ジスロマック（アジスロマイシン水和物）	特になし	○　処方可
クラビット（レボフロキサシン水和物）	特になし	○　処方可
抗炎症薬および鎮痛薬　カロナール（アセトアミノフェン）	特になし	○　処方可
SG（イソプロピルアンチピリン、アセトアミノフェン、アリルイソプロピルアセチル尿素、無水カフェイン）	特になし	○　処方可
ロキソニン（ロキソプロフェンナトリウム水和物）	特になし	○　処方可
ボルタレン（ジクロフェナクナトリウム）	特になし	○　処方可
抗真菌薬または抗ウイルス薬　フロリード（ミコナゾール）	特になし	○　処方可
イトリゾール（イトラコナゾール）	特になし	○　処方可
バルトレックス（バラシクロビル塩酸塩）	特になし	○　処方可
ゾビラックス（アシクロビル）	特になし	○　処方可
局所麻酔薬　エピリド、オーラ、キシロカイン（アドレナリン含有リドカイン塩酸塩）	本剤との相互作用に記載はないが、糖尿病患者へのアドレナリン含有局所麻酔薬の使用は原則禁忌。特に必要とする場合には慎重に投与する※	×　原則禁忌
シタネスト - オクタプレシン（プロピトカイン塩酸塩・フェリプレシン）	特になし	○　処方可
胃粘膜保護薬　ムコスタ（レバミピド）	特になし	○　処方可

※高血圧、動脈硬化、心不全、甲状腺機能亢進、糖尿病のある患者および血管攣縮の既往のある患者におけるアドレナリン含有局所麻酔薬の使用は原則禁忌。

……処方可　……慎重を要する　……減量、休薬など　……併用禁忌／原則禁忌

One Point　食後の高血糖を改善する薬

本剤投与により低血糖症状を起こすことがあるので、歯科治療中には十分注意し、このような症状がみられた場合には砂糖水を飲ませたりブドウ糖を投与する。

また、その他の副作用として口渇（頻度不明）が報告されている（先発品添付文書より）。

糖尿病治療薬

インスリン製剤

インスリンの分泌には、常時一定に分泌される「基礎分泌」と、食事などでの血糖値の上昇に対応して分泌される「追加分泌」がある。患者の病態に照らして、薬効発現速度と持続時間の異なるラインナップから適切なインスリン製剤を選択し、生理的な分泌様式に近づける。

ノボラピッド、ノボラピッド 30 ミックス、ノボラピッド 50 ミックス、ノボラピッド 70 ミックス（インスリンアスパルト）

▲ ノボ ノルディスク ファーマ株式会社提供

ランタス、ランタス XR、インスリングラルギン BS「リリー」「FFP」（インスリングラルギン）

▲ サノフィ株式会社提供

アピドラ（インスリングルリジン）

トレシーバ（インスリンデグルデク）

ライゾデグ（インスリンデグルデク・インスリンアスパルト）

▲ ノボ ノルディスク ファーマ株式会社提供

レベミル（インスリンデテミル）

ノボリンR、ヒューマリンR、ノボリンN、ヒューマリンN、ノボリン 30R、イノレット 30R、ヒューマリン 3/7（インスリン ヒト）

ルムジェブ（インスリンリスプロ）

▲ 日本イーライリリー株式会社提供

※下表はインスリン製剤としての記載であり網羅的ではないため、個々の薬剤については添付文書を参照されたい。

主たる効能・効果	インスリン療法が適応となる糖尿病	用法・用量	各薬剤の規格・指示に従う
主たる禁忌	低血糖症状、本剤の成分に対し過敏症の既往歴のある者	副作用	主たる重大な副作用：低血糖、アナフィラキシーショック、血管神経性浮腫
半減期	製剤により異なる		

インスリン製剤

表 歯科医院で処方される主な併用薬との相互作用

併用薬		相互作用	方策
抗菌薬	サワシリン（アモキシシリン水和物）	特になし	〇 処方可
	ケフラール（セファクロル）	特になし	〇 処方可
	フロモックス（セフカペン ピボキシル塩酸塩水和物）	特になし	〇 処方可
	メイアクトMS（セフジトレン ピボキシル）	特になし	〇 処方可
	クラリシッド、クラリス（クラリスロマイシン）	特になし	〇 処方可
	ジスロマック（アジスロマイシン水和物）	特になし	〇 処方可
	クラビット（レボフロキサシン水和物）	特になし	〇 処方可
抗炎症薬および鎮痛薬	カロナール（アセトアミノフェン）	特になし	〇 処方可
	SG（イソプロピルアンチピリン、アセトアミノフェン、アリルイソプロピルアセチル尿素、無水カフェイン）	特になし	〇 処方可
	ロキソニン（ロキソプロフェンナトリウム水和物）	特になし	〇 処方可
	ボルタレン（ジクロフェナクナトリウム）	特になし	〇 処方可
抗真菌薬または抗ウイルス薬	フロリード（ミコナゾール）	特になし	〇 処方可
	イトリゾール（イトラコナゾール）	特になし	〇 処方可
	バルトレックス（バラシクロビル塩酸塩）	特になし	〇 処方可
	ゾビラックス（アシクロビル）	特になし	〇 処方可
局所麻酔薬	エピリド、オーラ、キシロカイン（アドレナリン含有リドカイン塩酸塩）	本剤との相互作用に記載はないが、糖尿病患者へのアドレナリン含有局所麻酔薬の使用は原則禁忌。特に必要とする場合には慎重に投与する※	✕ 原則禁忌
	シタネスト-オクタプレシン（プロピトカイン塩酸塩・フェリプレシン）	特になし	〇 処方可
胃粘膜保護薬	ムコスタ（レバミピド）	特になし	〇 処方可

※高血圧、動脈硬化、心不全、甲状腺機能亢進、糖尿病のある患者および血管攣縮の既往のある患者におけるアドレナリン含有局所麻酔薬の使用は原則禁忌。

……処方可　……慎重を要する　……減量、休薬など　……併用禁忌／原則禁忌

One Point　作用発現、持続時間の異なる種々の製品がある

2型糖尿病においては、食事療法、運動療法、インスリン以外の薬物療法でも血糖がコントロールできない場合にインスリン治療が行われる。

また、高血糖でインスリン分泌能が低くなったり、インスリンに対する感受性が低下してさらに高血糖を招く状況となる（糖毒性）。この糖毒性を解除する目的でインスリン治療が行われる。

糖尿病治療薬

グリクラジド
Gliclazide

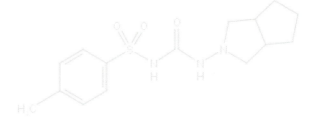

> 第二世代スルホニル尿素薬（SU薬）。血糖値の上昇を介した生理的なインスリン分泌において中心的な役割を果たしているのが、膵臓のβ細胞にあるATP感受性カリウムチャネル（K_{ATP}チャネル）である。血糖の値に関係なくインスリン分泌が促進されるため、低血糖にとくに注意する必要がある。

グリミクロン

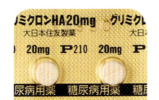

後**グリクラジド**
「サワイ」「トーワ」「日新」「NP」

効能・効果	食事療法と運動療法のみで効果不十分なインスリン非依存型糖尿病	用法・用量	1日1〜2回（朝または朝夕）、1日40mgからの開始、維持量40〜120mg、上限160mg
警告	重篤かつ遷延性の低血糖症を起こすことがある。用法・用量、使用上の注意に留意すること。	禁忌	重症ケトーシス、糖尿病性昏睡または前昏睡、インスリン依存型糖尿病、重篤な肝または腎機能障害、重症感染症、手術前後、重篤な外傷、下痢や嘔吐などの胃腸障害、本剤の成分あるいはスルホンアミド系薬剤に対し過敏症の既往歴のある患者、妊婦または妊娠の可能性のある者
		副作用	重大な副作用：低血糖、無顆粒球症、肝機能障害、黄疸

半減期	8.6時間

グリクラジド

表　歯科医院で処方される主な併用薬との相互作用

併用薬	相互作用	方策
抗菌薬 サワシリン（アモキシシリン水和物）	特になし	○ 処方可
ケフラール（セファクロル）	特になし	○ 処方可
フロモックス（セフカペン ピボキシル塩酸塩水和物）	特になし	○ 処方可
メイアクトMS（セフジトレン ピボキシル）	特になし	○ 処方可
クラリシッド、クラリス（クラリスロマイシン）	本剤の血糖降下作用増強の可能性――機序不明	慎重を要する
ジスロマック（アジスロマイシン水和物）	特になし	○ 処方可
クラビット（レボフロキサシン水和物）	特になし	○ 処方可
抗炎症薬および鎮痛薬 カロナール（アセトアミノフェン）	特になし	○ 処方可
SG（イソプロピルアンチピリン、アセトアミノフェン、アリルイソプロピルアセチル尿素、無水カフェイン）	特になし	○ 処方可
ロキソニン（ロキソプロフェンナトリウム水和物）	本剤の血糖降下作用増強の可能性――ロキソプロフェンによる本剤の血中タンパクとの結合抑制	慎重を要する
ボルタレン（ジクロフェナクナトリウム）	特になし	○ 処方可
抗真菌薬または抗ウイルス薬 フロリード（ミコナゾール）	本剤の血糖降下作用増強の可能性――ミコナゾールによる肝代謝抑制と考えられている	慎重を要する
イトリゾール（イトラコナゾール）	特になし	○ 処方可
バルトレックス（バラシクロビル塩酸塩）	特になし	○ 処方可
ゾビラックス（アシクロビル）	特になし	○ 処方可
局所麻酔薬 エピリド、オーラ、キシロカイン（アドレナリン含有リドカイン塩酸塩）	本剤との相互作用に記載はないが、糖尿病患者へのアドレナリン含有局所麻酔薬の使用は原則禁忌。特に必要とする場合には慎重に投与する※	✕ 原則禁忌
シタネスト - オクタプレシン（プロピトカイン塩酸塩・フェリプレシン）	特になし	○ 処方可
保護粘膜胃薬 ムコスタ（レバミピド）	特になし	○ 処方可

※高血圧、動脈硬化、心不全、甲状腺機能亢進、糖尿病のある患者および血管攣縮の既往のある患者におけるアドレナリン含有局所麻酔薬の使用は原則禁忌。

……処方可　……慎重を要する　……減量、休薬など　……併用禁忌／原則禁忌

One Point　ドキシサイクリン、ミノサイクリンも併用に注意

　上表の他に、テトラサイクリン系抗菌薬（ドキシサイクリン、ミノサイクリンなど）も、機序は不明であるが本剤の血糖降下作用を増強する薬剤として「併用注意」に記載されている（先発品添付文書より）。また、アドレナリンは末梢での糖取込み抑制などにより本剤の作用を減弱する可能性がある。

糖尿病治療薬

グリメピリド
Glimepiride

第三世代スルホニル尿素薬（SU薬）。グリクラジド同様、膵臓のβ細胞に存在するK_{ATP}チャネルに作用してインスリン分泌を促進する。グリメピリドはインスリン分泌促進作用がマイルドであるものの膵外作用も持つとされている。

アマリール

後 グリメピリド

「アメル」「オーハラ」「科研」「杏林」「ケミファ」「サワイ」「サンド」「三和」「タナベ」「テバ」「トーワ」「日医工」「日新」「ファイザー」「フェルゼン」「AA」「AFP」「EMEC」「FFP」「JG」「KN」「Me」「NP」「TCK」「TYK」「YD」「ZE」

効能・効果	食事療法と運動療法のみで効果不十分な2型糖尿病	用法・用量	1日1～2回（朝または朝夕）、0.5～1mgからの開始、維持量1日1～4mg、上限6mg、必要に応じ適宜増減
警告	重篤かつ遷延性の低血糖症を起こすことがある。用法・用量、使用上の注意に留意すること。	禁忌	重症ケトーシス、糖尿病性昏睡または前昏睡、インスリン依存型糖尿病、重篤な肝または腎機能障害、重症感染症、手術前後、重篤な外傷、下痢や嘔吐などの胃腸障害のある患者、妊婦または妊娠の可能性のある者、本剤の成分あるいはスルホンアミド系薬剤に対し過敏症の既往歴のある患者
		副作用	重大な副作用：低血糖、汎血球減少、無顆粒球症、溶血性貧血、血小板減少、肝機能障害、黄疸
半減期	1mgでおよそ1.5時間		

グリメピリド

表 歯科医院で処方される主な併用薬との相互作用

併用薬	相互作用	方策
抗菌薬 サワシリン（アモキシシリン水和物）	特になし	◯ 処方可
ケフラール（セファクロル）	特になし	◯ 処方可
フロモックス（セフカペン ピボキシル塩酸塩水和物）	特になし	◯ 処方可
メイアクトMS（セフジトレン ピボキシル）	特になし	◯ 処方可
クラリシッド、クラリス（クラリスロマイシン）	本剤の血糖降下作用増強の可能性――機序不明	慎重を要する
ジスロマック（アジスロマイシン水和物）	特になし	◯ 処方可
クラビット（レボフロキサシン水和物）	本剤の血糖降下作用増強の可能性――機序不明	慎重を要する
抗炎症薬および鎮痛薬 カロナール（アセトアミノフェン）	特になし	◯ 処方可
SG（イソプロピルアンチピリン、アセトアミノフェン、アリルイソプロピルアセチル尿素、無水カフェイン）	特になし	◯ 処方可
ロキソニン（ロキソプロフェンナトリウム水和物）	本剤の血糖降下作用増強の可能性――ロキソプロフェンによる本剤の血中タンパクとの結合抑制	慎重を要する
ボルタレン（ジクロフェナクナトリウム）	特になし	◯ 処方可
抗真菌薬または抗ウイルス薬 フロリード（ミコナゾール）	本剤の血糖降下作用増強の可能性――アゾール系抗真菌薬による本剤の血中タンパクとの結合抑制、肝代謝抑制	慎重を要する
イトリゾール（イトラコナゾール）	本剤の血糖降下作用増強の可能性――アゾール系抗真菌薬による本剤の血中タンパクとの結合抑制、肝代謝抑制	慎重を要する
バルトレックス（バラシクロビル塩酸塩）	特になし	◯ 処方可
ゾビラックス（アシクロビル）	特になし	◯ 処方可
局所麻酔薬 エピリド、オーラ、キシロカイン（アドレナリン含有リドカイン塩酸塩）	本剤との相互作用に記載はないが、糖尿病患者へのアドレナリン含有局所麻酔薬の使用は原則禁忌。特に必要とする場合には慎重に投与する※	✗ 原則禁忌
シタネスト-オクタプレシン（プロピトカイン塩酸塩・フェリプレシン）	特になし	◯ 処方可
胃粘膜保護薬 ムコスタ（レバミピド）	特になし	◯ 処方可

※高血圧、動脈硬化、心不全、甲状腺機能亢進、糖尿病のある患者および血管攣縮の既往のある患者におけるアドレナリン含有局所麻酔薬の使用は原則禁忌。

……処方可　……慎重を要する　……減量、休薬など　……併用禁忌／原則禁忌

One Point　血中タンパクとの結合抑制→血中濃度上昇

上表に加え、本剤の血糖降下作用を増強する薬剤として、サリチル酸剤（アスピリン、バファリンなど）、テトラサイクリン系抗菌薬（テトラサイクリン、ミノサイクリンなど）が「併用注意」に記載されている。また、その他の副作用として味覚異常が記載されている（先発品添付文書より）。

糖尿病治療薬

Sitagliptin Phosphate Hydrate

シタグリプチンリン酸塩水和物

インスリンの分泌を促進するホルモンを総称して「インクレチン」と呼ぶ。このインクレチンを分解する酵素（DPP-4）を阻害し、インクレチン濃度を上げてインスリン分泌を強めることで血糖降下をもたらす。血糖値が正常以下ではインクレチンのインスリン分泌促進作用は止まるため、本剤単独で低血糖は起こりにくい。

グラクティブ

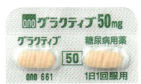

ジャヌビア

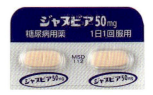

効能・効果	2型糖尿病	用法・用量	50mgを1日1回、効果不十分の場合1回100mgまで増量可
禁忌	本剤の成分に対し過敏症の既往歴のある患者、重症ケトーシス、糖尿病性昏睡または前昏睡、1型糖尿病の患者、重症感染症、手術前後、重篤な外傷	副作用	重大な副作用：アナフィラキシー反応、皮膚粘膜眼症候群、剥脱性皮膚炎、低血糖、肝機能障害、黄疸、急性腎障害、急性膵炎、間質性肺炎、腸閉塞、横紋筋融解症、血小板減少、類天疱瘡
半減期	9.6～12.3時間		

シタグリプチンリン酸塩水和物

表　歯科医院で処方される主な併用薬との相互作用

併用薬		相互作用	方策
抗菌薬	サワシリン（アモキシシリン水和物）	特になし	○ 処方可
	ケフラール（セファクロル）	特になし	○ 処方可
	フロモックス（セフカペン ピボキシル塩酸塩水和物）	特になし	○ 処方可
	メイアクトMS（セフジトレン ピボキシル）	特になし	○ 処方可
	クラリシッド、クラリス（クラリスロマイシン）	特になし	○ 処方可
	ジスロマック（アジスロマイシン水和物）	特になし	○ 処方可
	クラビット（レボフロキサシン水和物）	特になし	○ 処方可
抗炎症薬および鎮痛薬	カロナール（アセトアミノフェン）	特になし	○ 処方可
	SG（イソプロピルアンチピリン、アセトアミノフェン、アリルイソプロピルアセチル尿素、無水カフェイン）	特になし	○ 処方可
	ロキソニン（ロキソプロフェンナトリウム水和物）	特になし	○ 処方可
	ボルタレン（ジクロフェナクナトリウム）	特になし	○ 処方可
抗真菌薬または抗ウイルス薬	フロリード（ミコナゾール）	特になし	○ 処方可
	イトリゾール（イトラコナゾール）	特になし	○ 処方可
	バルトレックス（バラシクロビル塩酸塩）	特になし	○ 処方可
	ゾビラックス（アシクロビル）	特になし	○ 処方可
局所麻酔薬	エピリド、オーラ、キシロカイン（アドレナリン含有リドカイン塩酸塩）	本剤との相互作用に記載はないが、糖尿病患者へのアドレナリン含有局所麻酔薬の使用は原則禁忌。特に必要とする場合には慎重に投与する※	✕ 原則禁忌
	シタネスト-オクタプレシン（プロピトカイン塩酸塩・フェリプレシン）	特になし	○ 処方可
胃粘膜保護薬	ムコスタ（レバミピド）	特になし	○ 処方可

※高血圧、動脈硬化、心不全、甲状腺機能亢進、糖尿病のある患者および血管攣縮の既往のある患者におけるアドレナリン含有局所麻酔薬の使用は原則禁忌。

……処方可　……慎重を要する　……減量、休薬など　……併用禁忌／原則禁忌

One Point　空腹時および食後高血糖の両方を改善する薬

　その他の副作用として、歯周炎、口内炎の記載がある（0.1%～2%未満）。また、上表の他にサリチル酸剤が本剤の血糖降下作用を増強する薬剤として「併用注意」に記載されている（先発品添付文書より）。

糖尿病治療薬

ナテグリニド
Nateglinide

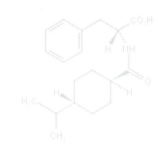

その構造は異なるものの、スルホニル尿素薬と同様の機序により膵臓のβ細胞のATP感受性カリウムチャネル（K_{ATP}チャネル）に作用してインスリン分泌を促進する。スルホニル尿素薬と比較して作用時間が短く即効性である。食後の血糖上昇に対して使用される。

スターシス

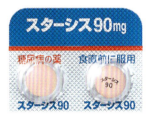

㊡ナテグリニド
「テバ」「日医工」

ファスティック

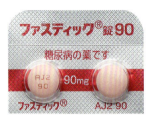

効能・効果	食事療法と運動療法、あるいはさらにαグルコシダーゼ阻害薬／ビグアナイド薬／チアゾリジン薬を使用して効果不十分な2型糖尿病における食後血糖推移の改善	用法・用量	90mgを1日3回（食直前）、効果不十分の場合1回120mgまで増量可
禁忌	重症ケトーシス、糖尿病性昏睡または前昏睡、1型糖尿病、透析を必要とするような重篤な腎機能障害の患者、重症感染症、手術前後、重篤な外傷、本剤の成分に対し過敏症の既往歴のある患者、妊婦または妊娠の可能性のある者	副作用	重大な副作用：低血糖、肝機能障害、黄疸、心筋梗塞、突然死
半減期	およそ1時間強		

ナテグリニド

表 歯科医院で処方される主な併用薬との相互作用

併用薬		相互作用	方策
抗菌薬	サワシリン（アモキシシリン水和物）	特になし	〇 処方可
	ケフラール（セファクロル）	特になし	〇 処方可
	フロモックス（セフカペン ピボキシル塩酸塩水和物）	特になし	〇 処方可
	メイアクトMS（セフジトレン ピボキシル）	特になし	〇 処方可
	クラリシッド、クラリス（クラリスロマイシン）	特になし	〇 処方可
	ジスロマック（アジスロマイシン水和物）	特になし	〇 処方可
	クラビット（レボフロキサシン水和物）	特になし	〇 処方可
抗炎症薬および鎮痛薬	カロナール（アセトアミノフェン）	特になし	〇 処方可
	SG（イソプロピルアンチピリン、アセトアミノフェン、アリルイソプロピルアセチル尿素、無水カフェイン）	特になし	〇 処方可
	ロキソニン（ロキソプロフェンナトリウム水和物）	特になし	〇 処方可
	ボルタレン（ジクロフェナクナトリウム）	特になし	〇 処方可
抗真菌薬または抗ウイルス薬	フロリード（ミコナゾール）	本剤の血糖降下作用増強の可能性──ミコナゾールによる本剤の血中タンパクとの結合抑制、肝代謝抑制	慎重を要する
	イトリゾール（イトラコナゾール）	特になし	〇 処方可
	バルトレックス（バラシクロビル塩酸塩）	特になし	〇 処方可
	ゾビラックス（アシクロビル）	特になし	〇 処方可
局所麻酔薬	エピリド、オーラ、キシロカイン（アドレナリン含有リドカイン塩酸塩）	本剤との相互作用に記載はないが、糖尿病患者へのアドレナリン含有局所麻酔薬の使用は原則禁忌。特に必要とする場合には慎重に投与する※	✕ 原則禁忌
	シタネスト-オクタプレシン（プロピトカイン塩酸塩・フェリプレシン）	特になし	〇 処方可
胃粘膜保護薬	ムコスタ（レバミピド）	特になし	〇 処方可

※高血圧、動脈硬化、心不全、甲状腺機能亢進、糖尿病のある患者および血管攣縮の既往のある患者におけるアドレナリン含有局所麻酔薬の使用は原則禁忌。

……処方可　……慎重を要する　……減量、休薬など　……併用禁忌／原則禁忌

One Point　短期間で作用消失、低血糖リスクは低い

　上表に加え、本剤の血糖降下作用を増強する薬剤として、サリチル酸剤（アスピリン、バファリンなど）、テトラサイクリン系抗菌薬（テトラサイクリン塩酸塩、ミノサイクリン塩酸塩など）が「併用注意」に記載されている。また、その他の副作用として舌炎、口内炎、口渇が記載されている（頻度不明、先発品添付文書より）。

糖尿病治療薬

Pioglitazone Hydrochloride

ピオグリタゾン塩酸塩

> 肥大化した脂肪細胞はインスリン抵抗性を引き起こすサイトカインを分泌する。ピオグリタゾン塩酸塩はこのような脂肪細胞のアポトーシスと、正常な小型脂肪細胞への分化誘導を促進する。小型脂肪細胞からは善玉のサイトカインが分泌され、インスリン抵抗性が改善する。

アクトス

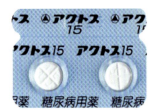

後 ピオグリタゾン
「アメル」「オーハラ」「杏林」「ケミファ」「興和テバ」
「サワイ」「サンド」「タイヨー」「タカタ」「武田テバ」
「タナベ」「トーワ」「日医工」「ファイザー」「モチダ」
「DSEP」「EE」「FFP」「JG」「MEEK」「NP」「NPI」
「NS」「TCK」「TSU」「ZE」

効能・効果	食事療法と運動療法、あるいはさらにスルホニル尿素薬／αグルコシダーゼ阻害薬／ビグアナイド薬／インスリン製剤を使用して効果不十分で、インスリン抵抗性が推定される2型糖尿病	用法・用量	15～30mgを1日1回、上限45mg、性別、年齢、症状により適宜増減 **インスリン使用時** 15mgを1日1回、上限30mg、性別、年齢、症状により適宜増減（いずれも朝食前または朝食後）
禁忌	心不全患者、心不全の既往歴、重症ケトーシス、糖尿病性昏睡または前昏睡、1型糖尿病、重篤な肝機能障害、重篤な腎機能障害、重症感染症、手術前後、重篤な外傷、本剤の成分に対し過敏症の既往歴のある患者、妊婦または妊娠の可能性のある者	副作用	重大な副作用：心不全の増悪または発症、浮腫、肝機能障害、黄疸、低血糖症状、横紋筋融解症、間質性肺炎、胃潰瘍の再燃

半減期	30mgでおよそ5.4時間

ピオグリタゾン塩酸塩

表 歯科医院で処方される主な併用薬との相互作用

分類	併用薬	相互作用	方策
抗菌薬	サワシリン（アモキシシリン水和物）	特になし	○ 処方可
抗菌薬	ケフラール（セファクロル）	特になし	○ 処方可
抗菌薬	フロモックス（セフカペン ピボキシル塩酸塩水和物）	特になし	○ 処方可
抗菌薬	メイアクトMS（セフジトレン ピボキシル）	特になし	○ 処方可
抗菌薬	クラリシッド、クラリス（クラリスロマイシン）	特になし	○ 処方可
抗菌薬	ジスロマック（アジスロマイシン水和物）	特になし	○ 処方可
抗菌薬	クラビット（レボフロキサシン水和物）	特になし	○ 処方可
抗炎症薬および鎮痛薬	カロナール（アセトアミノフェン）	特になし	○ 処方可
抗炎症薬および鎮痛薬	SG（イソプロピルアンチピリン、アセトアミノフェン、アリルイソプロピルアセチル尿素、無水カフェイン）	特になし	○ 処方可
抗炎症薬および鎮痛薬	ロキソニン（ロキソプロフェンナトリウム水和物）	特になし	○ 処方可
抗炎症薬および鎮痛薬	ボルタレン（ジクロフェナクナトリウム）	特になし	○ 処方可
抗真菌薬または抗ウイルス薬	フロリード（ミコナゾール）	特になし	○ 処方可
抗真菌薬または抗ウイルス薬	イトリゾール（イトラコナゾール）	特になし	○ 処方可
抗真菌薬または抗ウイルス薬	バルトレックス（バラシクロビル塩酸塩）	特になし	○ 処方可
抗真菌薬または抗ウイルス薬	ゾビラックス（アシクロビル）	特になし	○ 処方可
局所麻酔薬	エピリド、オーラ、キシロカイン（アドレナリン含有リドカイン塩酸塩）	本剤との相互作用に記載はないが、糖尿病患者へのアドレナリン含有局所麻酔薬の使用は原則禁忌。特に必要とする場合には慎重に投与する※	× 原則禁忌
局所麻酔薬	シタネスト-オクタプレシン（プロピトカイン塩酸塩・フェリプレシン）	特になし	○ 処方可
保護粘膜薬	ムコスタ（レバミピド）	特になし	○ 処方可

※高血圧、動脈硬化、心不全、甲状腺機能亢進、糖尿病のある患者および血管攣縮の既往のある患者におけるアドレナリン含有局所麻酔薬の使用は原則禁忌。

……処方可　……慎重を要する　……減量、休薬など　……併用禁忌／原則禁忌

One Point　女性にむくみの発現が多い

運動療法、食事療法を十分に行うことが糖尿病治療の基本である。

本剤はむくみが現れやすく、またその脂肪細胞分化促進作用により体重がしばしば増加する。その他の血糖降下薬との合剤もいくつかある。

糖尿病治療薬

ビルダグリプチン
Vildagliptin

シタグリプチンリン酸塩水和物と同じDPP-4阻害薬のひとつ。インクレチンの分解を阻害してインクレチン濃度を上げ、インスリン分泌を促進、またグルカゴン分泌を抑制する。ビルダグリプチンは主に肝臓で代謝されることから、肝機能が重度に障害された患者では禁忌となる。

エクア

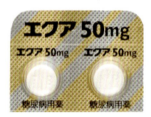

効能・効果	2型糖尿病	用法・用量	50mgを1日2回（朝夕）、状態に応じて50mgを1日1回（朝）
禁忌	本剤の成分に対し過敏症の既往歴のある患者、糖尿病性ケトアシドーシス、糖尿病性昏睡、1型糖尿病の患者、重度肝機能障害、重症感染症、手術前後、重篤な外傷のある者	副作用	重大な副作用：肝炎、肝機能障害、血管浮腫、低血糖症、横紋筋融解症、急性膵炎、腸閉塞、間質性肺炎、類天疱瘡
半減期	50mgでおよそ1.8時間		

表 歯科医院で処方される主な併用薬との相互作用

併用薬		相互作用	方策	
抗菌薬	サワシリン（アモキシシリン水和物）	特になし	○	処方可
	ケフラール（セファクロル）	特になし	○	処方可
	フロモックス（セフカペン ピボキシル塩酸塩水和物）	特になし	○	処方可
	メイアクトMS（セフジトレン ピボキシル）	特になし	○	処方可
	クラリシッド、クラリス（クラリスロマイシン）	特になし	○	処方可
	ジスロマック（アジスロマイシン水和物）	特になし	○	処方可
	クラビット（レボフロキサシン水和物）	特になし	○	処方可
抗炎症薬および鎮痛薬	カロナール（アセトアミノフェン）	特になし	○	処方可
	SG（イソプロピルアンチピリン、アセトアミノフェン、アリルイソプロピルアセチル尿素、無水カフェイン）	特になし	○	処方可
	ロキソニン（ロキソプロフェンナトリウム水和物）	特になし	○	処方可
	ボルタレン（ジクロフェナクナトリウム）	特になし	○	処方可
抗真菌薬または抗ウイルス薬	フロリード（ミコナゾール）	特になし	○	処方可
	イトリゾール（イトラコナゾール）	特になし	○	処方可
	バルトレックス（バラシクロビル塩酸塩）	特になし	○	処方可
	ゾビラックス（アシクロビル）	特になし	○	処方可
局所麻酔薬	エピリド、オーラ、キシロカイン（アドレナリン含有リドカイン塩酸塩）	本剤との相互作用に記載はないが、糖尿病患者へのアドレナリン含有局所麻酔薬の使用は原則禁忌。特に必要とする場合には慎重に投与する※	×	原則禁忌
	シタネスト-オクタプレシン（プロピトカイン塩酸塩・フェリプレシン）	特になし	○	処方可
胃粘膜保護薬	ムコスタ（レバミピド）	特になし	○	処方可

※高血圧、動脈硬化、心不全、甲状腺機能亢進、糖尿病のある患者および血管攣縮の既往のある患者におけるアドレナリン含有局所麻酔薬の使用は原則禁忌。

……処方可　……慎重を要する　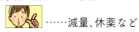……減量、休薬など　……併用禁忌／原則禁忌

One Point 週一回投与の薬も登場

　空腹時、食後高血糖の両方を改善する。メタアナリシスにおいては、アジア人で、BMIが低値の場合に本剤のようなDPP-4阻害薬の効果が大きいことが示されている。

　2015年には、週に一回服用するDPP-4阻害薬（トレラグリプチンコハク酸塩、オマリグリプチン）が承認された。

糖尿病治療薬

Voglibose
ボグリボース

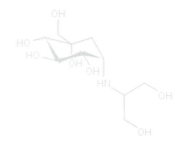

αグルコシダーゼ阻害薬のひとつ。インスリンの追加分泌が鈍化しているような患者において、糖の吸収を遅らせることで血糖値の上昇を緩やかにし、血糖のコントロールを改善する。ボグリボースにおいては耐糖能異常における2型糖尿病の発症抑制にも適応がある。

ベイスン

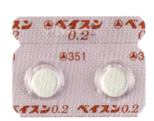

㊡ボグリボース
「杏林」「ケミファ」「サワイ」「タカタ」「武田テバ」「トーワ」「日医工」「ファイザー」「マイラン」「JG」「MED」「MEEK」「NP」「NS」「OME」「QQ」「TCK」「YD」

効能・効果	食事療法と運動療法、あるいはさらに経口血糖降下薬/インスリン製剤を使用して効果不十分な糖尿病の食後過血糖の改善 0.2mg製剤のみ 耐糖能異常での2型糖尿病の発症抑制	用法・用量	0.2mgを1日3回、効果不十分の場合1回量を0.3mgまで増量可
禁忌	重症ケトーシス、糖尿病性昏睡または前昏睡の患者、重症感染症、手術前後、重篤な外傷、本剤の成分に対し過敏症の既往歴のある患者	副作用	重大な副作用：低血糖、腸閉塞、劇症肝炎、重篤な肝機能障害、黄疸、重篤な肝硬変例における高アンモニア血症増悪と意識障害
半減期	記載なし		

ボグリボース

表 歯科医院で処方される主な併用薬との相互作用

併用薬		相互作用	方策	
抗菌薬	サワシリン（アモキシシリン水和物）	特になし	○	処方可
	ケフラール（セファクロル）	特になし	○	処方可
	フロモックス（セフカペン ピボキシル塩酸塩水和物）	特になし	○	処方可
	メイアクト MS（セフジトレン ピボキシル）	特になし	○	処方可
	クラリシッド、クラリス（クラリスロマイシン）	特になし	○	処方可
	ジスロマック（アジスロマイシン水和物）	特になし	○	処方可
	クラビット（レボフロキサシン水和物）	特になし	○	処方可
抗炎症薬および鎮痛薬	カロナール（アセトアミノフェン）	特になし	○	処方可
	SG（イソプロピルアンチピリン、アセトアミノフェン、アリルイソプロピルアセチル尿素、無水カフェイン）	特になし	○	処方可
	ロキソニン（ロキソプロフェンナトリウム水和物）	特になし	○	処方可
	ボルタレン（ジクロフェナクナトリウム）	特になし	○	処方可
抗真菌薬または抗ウイルス薬	フロリード（ミコナゾール）	特になし	○	処方可
	イトリゾール（イトラコナゾール）	特になし	○	処方可
	バルトレックス（バラシクロビル塩酸塩）	特になし	○	処方可
	ゾビラックス（アシクロビル）	特になし	○	処方可
局所麻酔薬	エピリド、オーラ、キシロカイン（アドレナリン含有リドカイン塩酸塩）	本剤との相互作用に記載はないが、糖尿病患者へのアドレナリン含有局所麻酔薬の使用は原則禁忌。特に必要とする場合には慎重に投与する※	✕	原則禁忌
	シタネスト - オクタプレシン（プロピトカイン塩酸塩・フェリプレシン）	特になし	○	処方可
胃粘膜保護薬	ムコスタ（レバミピド）	特になし	○	処方可

※高血圧、動脈硬化、心不全、甲状腺機能亢進、糖尿病のある患者および血管攣縮の既往のある患者におけるアドレナリン含有局所麻酔薬の使用は原則禁忌。

……処方可　……慎重を要する　……減量、休薬など　……併用禁忌／原則禁忌

One Point　本剤投与中の低血糖にはブドウ糖を

　その他の副作用として口渇、口内炎、味覚異常が報告されている（先発品添付文書より）。

　本剤は二糖類を単糖に分解する酵素のαグルコシダーゼを阻害するため、低血糖の際はショ糖（二糖類）ではなく単糖のブドウ糖にて対処する。アカルボース、ミグリトールでも同様である。

糖尿病治療薬

ミグリトール
Miglitol

ミグリトールは、小腸粘膜上皮細胞の刷子縁膜において二糖類から単糖への分解を担う二糖類水解酵素（α-グルコシダーゼ）を阻害し、糖質の消化・吸収を遅延させることにより食後の過血糖を改善する。

セイブル

後 ミグリトール
「サワイ」「トーワ」「JG」

効能・効果	糖尿病の食後過血糖の改善（ただし、食事療法・運動療法を行っている患者で十分な効果が得られない場合、または食事療法・運動療法に加えてスルホニルウレア剤、ビグアナイド系薬剤若しくはインスリン製剤を使用している患者で十分な効果が得られない場合に限る）	用法・用量	1回50mgを1日3回毎食直前に経口投与する。効果不十分の場合1回量を75mgまで増量可
禁忌	重症ケトーシス、糖尿病性昏睡または前昏睡の患者、重症感染症、手術前後、重篤な外傷のある患者、本剤の成分に対する過敏症の既往歴のある患者、妊婦または妊娠している可能性のある女性	副作用	重大な副作用：低血糖、腸閉塞、肝機能障害、黄疸
半減期	約2時間		

ミグリトール

表　歯科医院で処方される主な併用薬との相互作用

併用薬		相互作用	方策	
抗菌薬	サワシリン（アモキシシリン水和物）	特になし	○	処方可
	ケフラール（セファクロル）	特になし	○	処方可
	フロモックス（セフカペン ピボキシル塩酸塩水和物）	特になし	○	処方可
	メイアクトMS（セフジトレン ピボキシル）	特になし	○	処方可
	クラリシッド、クラリス（クラリスロマイシン）	特になし	○	処方可
	ジスロマック（アジスロマイシン水和物）	特になし	○	処方可
	クラビット（レボフロキサシン水和物）	特になし	○	処方可
抗炎症薬および鎮痛薬	カロナール（アセトアミノフェン）	特になし	○	処方可
	SG（イソプロピルアンチピリン、アセトアミノフェン、アリルイソプロピルアセチル尿素、無水カフェイン）	特になし	○	処方可
	ロキソニン（ロキソプロフェンナトリウム水和物）	特になし	○	処方可
	ボルタレン（ジクロフェナクナトリウム）	特になし	○	処方可
抗真菌薬または抗ウイルス薬	フロリード（ミコナゾール）	特になし	○	処方可
	イトリゾール（イトラコナゾール）	特になし	○	処方可
	バルトレックス（バラシクロビル塩酸塩）	特になし	○	処方可
	ゾビラックス（アシクロビル）	特になし	○	処方可
局所麻酔薬	エピリド、オーラ、キシロカイン（アドレナリン含有リドカイン塩酸塩）	本剤との相互作用に記載はないが、糖尿病患者へのアドレナリン含有局所麻酔薬の使用は原則禁忌。特に必要とする場合には慎重に投与する※	✕	原則禁忌
	シタネスト - オクタプレシン（プロピトカイン塩酸塩・フェリプレシン）	特になし	○	処方可
胃粘膜保護薬	ムコスタ（レバミピド）	特になし	○	処方可

※高血圧、動脈硬化、心不全、甲状腺機能亢進、糖尿病のある患者および血管攣縮の既往のある患者におけるアドレナリン含有局所麻酔薬の使用は原則禁忌。

……処方可　　……慎重を要する　　……減量、休薬など　　……併用禁忌／原則禁忌

One Point　歯科で処方する一般的な薬剤との併用には比較的安全

　本剤は糖尿病食後過血糖を改善する薬剤で、腎機能や肝機能障害患者は注意が必要だ。副作用として、0.1〜5％未満に口渇、頻度は不明だが、口内炎や味覚異常を発症することもある。

糖尿病治療薬

Metformin Hydrochloride

メトホルミン塩酸塩

ビグアナイド薬のひとつ。インスリン分泌促進作用は持たず、2型糖尿病における肝臓での過剰な糖新生や腸管からの糖吸収を抑えるなどのはたらきをする。体重増加が起きにくいため肥満の患者にも使用できる。

グリコラン

メトグルコ

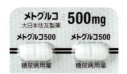

後 メトホルミン塩酸塩
「トーワ」「SN」

後 メトホルミン塩酸塩MT
「三和」「トーワ」「日医工」「ニプロ」「ファイザー」「DSEP」「JG」「TCK」「TE」

効能・効果	食事療法と運動療法、あるいはさらにスルホニル尿素薬を使用して効果不十分な2型糖尿病
用法・用量	**グリコラン** 1日500mgから開始、2〜3分服(食後)、維持量は効果を観察しながら決めるが1日最高投与量は750mg **メトグルコ** 1日500mgから開始、2〜3分服(食直前または食後)、維持量は効果を観察しながら決めるが通常1日750〜1,500mg。状態により適宜増減、1日最高投与量は2,250mg
警告	重篤な乳酸アシドーシス発症による死亡例の報告。本症を起こしやすい患者には投与しないこと。 **グリコラン** 重篤な低血糖を起こすことがある。用法・用量、使用上の注意に特に留意すること。 **メトグルコ** 腎または肝機能障害患者および高齢者では定期的に腎機能や肝機能を確認するなど慎重に投与すること。特に75歳以上では本剤投与の適否を慎重に判断すること。
禁忌	**共通** 乳酸アシドーシスの既往のある者、透析患者、心血管系、肺機能の高度障害およびその他低酸素血症を伴いやすい状態、過度のアルコール摂取、脱水症および脱水が懸念される下痢、嘔吐等の胃腸障害、重症ケトーシス、糖尿病性昏睡または前昏睡、1型糖尿病、重症感染症、手術前後、重篤な外傷、栄養不良、飢餓、衰弱、脳下垂体機能不全または副腎機能不全の患者、妊婦または妊娠の可能性、本剤の成分あるいはビグアナイド系製剤に対し過敏症の既往歴のある者 **グリコラン** 腎機能障害(軽度含む)、肝機能障害、高齢者 **メトグルコ** 中等度以上の腎機能障害、重度肝機能障害
副作用	重大な副作用:乳酸アシドーシス、低血糖、肝機能障害、黄疸、横紋筋融解症

半減期 **グリコラン** 250mgでおよそ3.6時間 ・ **メトグルコ** 250mgでおよそ2.9時間

メトホルミン塩酸塩

表　歯科医院で処方される主な併用薬との相互作用

併用薬	相互作用	方策
抗菌薬 サワシリン（アモキシシリン水和物）	特になし	〇 処方可
抗菌薬 ケフラール（セファクロル）	特になし	〇 処方可
抗菌薬 フロモックス（セフカペン ピボキシル塩酸塩水和物）	特になし	〇 処方可
抗菌薬 メイアクトMS（セフジトレン ピボキシル）	特になし	〇 処方可
抗菌薬 クラリシッド、クラリス（クラリスロマイシン）	特になし	〇 処方可
抗菌薬 ジスロマック（アジスロマイシン水和物）	特になし	〇 処方可
抗菌薬 クラビット（レボフロキサシン水和物）	特になし	〇 処方可
抗炎症薬および鎮痛薬 カロナール（アセトアミノフェン）	特になし	〇 処方可
抗炎症薬および鎮痛薬 SG（イソプロピルアンチピリン、アセトアミノフェン、アリルイソプロピルアセチル尿素、無水カフェイン）	特になし	〇 処方可
抗炎症薬および鎮痛薬 ロキソニン（ロキソプロフェンナトリウム水和物）	特になし	〇 処方可
抗炎症薬および鎮痛薬 ボルタレン（ジクロフェナクナトリウム）	特になし	〇 処方可
抗真菌薬または抗ウイルス薬 フロリード（ミコナゾール）	特になし	〇 処方可
抗真菌薬または抗ウイルス薬 イトリゾール（イトラコナゾール）	特になし	〇 処方可
抗真菌薬または抗ウイルス薬 バルトレックス（バラシクロビル塩酸塩）	特になし	〇 処方可
抗真菌薬または抗ウイルス薬 ゾビラックス（アシクロビル）	特になし	〇 処方可
局所麻酔薬 エピリド、オーラ、キシロカイン（アドレナリン含有リドカイン塩酸塩）	本剤との相互作用に記載はないが、糖尿病患者へのアドレナリン含有局所麻酔薬の使用は原則禁忌。特に必要とする場合には慎重に投与する※	✕ 原則禁忌
局所麻酔薬 シタネスト-オクタプレシン（プロピトカイン塩酸塩・フェリプレシン）	特になし	〇 処方可
胃粘膜保護薬 ムコスタ（レバミピド）	特になし	〇 処方可

※高血圧、動脈硬化、心不全、甲状腺機能亢進、糖尿病のある患者および血管攣縮の既往のある患者におけるアドレナリン含有局所麻酔薬の使用は原則禁忌。

 ……処方可　　 ……慎重を要する　　 ……減量、休薬など　　 ……併用禁忌／原則禁忌

One Point　乳酸アシドーシスに注意

　腎毒性の強い抗菌薬（ゲンタマイシンなど）は、併用により乳酸アシドーシスを起こす可能性がある。併用する場合は、一時的に本剤の減量・中止を行うなど適切に処置するよう添付文書に記載されている。

これならわかる
ビスフォスフォネートと抗血栓薬投与患者への対応

朝波惣一郎／王　宝禮／矢郷　香

歯科治療で顎骨壊死と脳血管障害を起こさない

注意！

抜歯をするだけで生命を脅かす脳梗塞や顎骨壊死を起こすこともある

骨粗鬆症の治療薬であるビスフォスフォネートを服用している患者さんに,抜歯や歯周外科やインプラント治療などの外科的な歯科治療を行うと,顎骨壊死を起こす可能性がある.一方,脳梗塞や心筋梗塞の予防のため,抗血栓薬を服用されている患者さんに外科的歯科治療をするため止血しやすいように服薬を中断すると,生命を脅かす脳梗塞や心筋梗塞を起こす可能性がある.そこで両薬剤の服用患者さんへ歯科治療をするときに知っておくべき35項目をQuestion & Answerにより,わかりやすく具体的な対応法として解説してもらった.高齢社会での必読書!

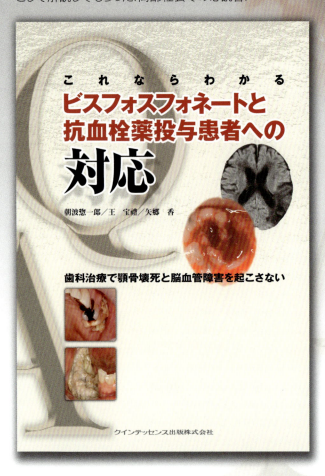

CONTENTS

ビスフォスフォネートが話題になっているのはなぜ
抗血栓薬が話題になっているのはなぜ

CHAPTER 1　ビスフォスフォネート系薬剤

知っておきたいビスフォスフォネートの薬理作用

- Q1　ビスフォスフォネート系薬剤は,どのような患者に使われていますか？
- Q2　なぜ、顎骨(主に下顎骨)に薬剤が集まりやすいのですか？
- Q3　BRONJ(ビスフォスフォネート系薬剤関連顎骨壊死)に対して医師の先生はどう思われているでしょうか？
- 〜
- Q20　歯科口腔外科領域で頻用される薬剤で,経口ビスフォスフォネート系薬剤と併用してはいけない薬剤はありますか？

CHAPTER 2　抗血栓薬

知っておきたいワルファリンとアスピリンの薬理作用
抗血栓療法患者の抜歯時のアルゴリズム

- Q1　ワルファリンやアスピリンなどの抗血小板薬を中断して抜歯した場合,どのような合併症が起こりますか？
- Q2　ワルファリンやアスピリンなどの抗血小板薬を継続したまま抜歯した場合,どのような合併症が起こる可能性がありますか？
- Q3　ワルファリンを継続したまま抜歯を行うときに,必要な検査は何ですか？
- 〜
- Q15　抗血栓薬とビスフォスフォネート系薬剤を服用している患者の抜歯はどうすればいいですか？

●サイズ:A4判　●136ページ　●定価7,260円（本体6,600円+税10%）

QUINTESSENCE PUBLISHING 日本

クインテッセンス出版株式会社

〒113-0033　東京都文京区本郷3丁目2番6号　クイントハウスビル
TEL 03-5842-2272（営業）　FAX 03-5800-7592　https://www.quint-j.co.jp　e-mail mb@quint-j.co.jp

抗血栓薬

併用禁忌の記載がある掲載薬の一覧

▼投与薬について抽出し、歯科で処方される薬を含むものを赤背景とし、かつ歯科で使われる薬を赤字で示す。

一般名	添付文書の［禁忌］における記載内容
アスピリン　→ p.102	特になし
アスピリン・ダイアルミネート　→ p.104	特になし
アピキサバン　→ p.106	特になし
エドキサバントシル酸塩水和物　→ p.108	特になし
クロピドグレル硫酸塩　→ p.110	特になし
シロスタゾール　→ p.112	特になし
ダビガトランエテキシラートメタンスルホン酸塩　→ p.114	イトラコナゾール＜経口剤＞投与中の患者
チクロピジン塩酸塩　→ p.116	特になし
プラスグレル塩酸塩　→ p.118	特になし
リバーロキサバン　→ p.120	HIVプロテアーゼ阻害剤（リトナビル、ロピナビル・リトナビル、アタザナビル、ダルナビル、ホスアンプレナビル、ネルフィナビル）を投与中の患者 コビシスタットを含有する製剤を投与中の患者 アゾール系抗真菌薬（イトラコナゾール、ボリコナゾール、ミコナゾール、ケトコナゾール）の経口又は注射剤を投与中の患者
ワルファリンカリウム　→ p.122	骨粗鬆症治療用ビタミンK₂（メナテトレノン）製剤を投与中の患者 イグラチモドを投与中の患者 ミコナゾール（ゲル剤・注射剤・錠剤）を投与中の患者

抗血栓薬

アスピリン

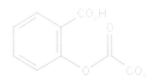

> アスピリンの抗血小板作用は血小板に存在する酵素のシクロオキシゲナーゼCOX-1を阻害することによる。COX-1が阻害されると、血小板凝集と血管収縮にかかわるトロンボキサンTXA$_2$が合成されなくなる。この阻害作用は一時的なものではなく、血小板の寿命が続く間持続する。

後 バイアスピリン

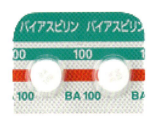

後 アスピリン腸溶錠
「トーワ」「日医工」「ファイザー」「JG」「ZE」

効能・効果	狭心症、心筋梗塞、虚血性脳血管障害における血栓・塞栓形成抑制 冠動脈バイパス術あるいは経皮経管冠動脈形成術施行後における血栓・塞栓形成抑制 川崎病	用法・用量	100mgを1日1回、1回300mgまで増量可
禁忌	本剤の成分あるいはサリチル酸系製剤に対し過敏症の既往歴、消化性潰瘍、出血傾向のある患者、アスピリン喘息の患者、出産予定日12週以内の妊婦、低出生体重児、新生児または乳児	副作用	重大な副作用：ショック、アナフィラキシー、出血、中毒性表皮壊死融解症、皮膚粘膜眼症候群、剥脱性皮膚炎、再生不良性貧血、血小板減少、白血球減少、喘息発作、肝機能障害、黄疸、消化性潰瘍、小腸・大腸潰瘍
半減期	100mg投与でおよそ0.4時間（血小板の不可逆的阻害であるため、薬理効果は半減期に関係なく、血小板の寿命まで持続する）		

アスピリン

表　歯科医院で処方される主な併用薬との相互作用

併用薬	相互作用	方策
抗菌薬		
サワシリン（アモキシシリン水和物）	特になし	処方可
ケフラール（セファクロル）	特になし	処方可
フロモックス（セフカペン ピボキシル塩酸塩水和物）	特になし	処方可
メイアクトMS（セフジトレン ピボキシル）	特になし	処方可
クラリシッド、クラリス（クラリスロマイシン）	特になし	処方可
ジスロマック（アジスロマイシン水和物）	特になし	処方可
クラビット（レボフロキサシン水和物）	特になし	処方可
抗炎症薬および鎮痛薬		
カロナール（アセトアミノフェン）	特になし	処方可
SG（イソプロピルアンチピリン、アセトアミノフェン、アリルイソプロピルアセチル尿素、無水カフェイン）	特になし	処方可
ロキソニン（ロキソプロフェンナトリウム水和物）	出血および腎機能の低下を起こす可能性――機序不明	慎重を要する
ボルタレン（ジクロフェナクナトリウム）	出血および腎機能の低下を起こす可能性、相互に作用減弱、消化器系の副作用増強の可能性	慎重を要する
抗真菌薬または抗ウイルス薬		
フロリード（ミコナゾール）	特になし	処方可
イトリゾール（イトラコナゾール）	特になし	処方可
バルトレックス（バラシクロビル塩酸塩）	特になし	処方可
ゾビラックス（アシクロビル）	特になし	処方可
局所麻酔薬		
エピリド、オーラ、キシロカイン（アドレナリン含有リドカイン塩酸塩）	特になし	処方可
シタネスト‐オクタプレシン（プロピトカイン塩酸塩・フェリプレシン）	特になし	処方可
胃粘膜保護薬		
ムコスタ（レバミピド）	特になし	処方可

……処方可　　……慎重を要する　　……減量、休薬など　　……併用禁忌／原則禁忌

One Point　NSAIDSとの相互作用に注意する

シクロオキシゲナーゼ（COX-1）は胃粘膜の上皮細胞にも常在し、胃粘膜保護作用を持つプロスタグランジン合成にも関与しているため、COXを非選択的に阻害するNSAIDSを併用すると副作用の消化管障害作用が増強することがある。また、併用薬によっては相互に作用が減弱する可能性があることが添付文書に記載されている。

抗血栓薬

Aspirin - Dialuminate

アスピリン・ダイアルミネート

アスピリンによる消化性潰瘍を抑えるため、制酸薬のダイアルミネートが配合されている。アスピリンを低用量で使用した場合の抗血小板作用が見出され、本剤を含むアスピリン系の解熱鎮痛薬は抗血小板薬としても承認、使用されるようになった。同名の市販薬では代用できない。

- 後 アスファネート
- 後 ニトギス
- 後 バッサミン
- 後 ファモター
- 後 バファリン

効能・効果	狭心症、心筋梗塞、虚血性脳血管障害における血栓・塞栓形成抑制 冠動脈バイパス術あるいは経皮経管冠動脈形成術施行後における血栓・塞栓形成抑制 川崎病	用法・用量	1錠（アスピリンとして81mg）を1日1回、1回4錠（アスピリンとして324mg）まで増量可
禁忌	本剤の成分あるいはサリチル酸系製剤に対し過敏症の既往歴、消化性潰瘍、出血傾向のある患者、アスピリン喘息の患者、出産予定日12週以内の妊婦、低出生体重児、新生児または乳児	副作用	重大な副作用：ショック、アナフィラキシー、出血、中毒性表皮壊死融解症、皮膚粘膜眼症候群、剥脱性皮膚炎、再生不良性貧血、血小板減少、白血球減少、喘息発作誘発、肝機能障害、黄疸、消化性潰瘍、小腸・大腸潰瘍

半減期	80mg投与でおよそ0.4時間（血小板の不可逆的阻害であるため、薬理効果は半減期に関係なく、血小板の寿命まで持続する）

アスピリン・ダイアルミネート

表 歯科医院で処方される主な併用薬との相互作用

併用薬		相互作用	方策
抗菌薬	サワシリン（アモキシシリン水和物）	特になし	処方可
	ケフラール（セファクロル）	特になし	処方可
	フロモックス（セフカペン ピボキシル塩酸塩水和物）	特になし	処方可
	メイアクトMS（セフジトレン ピボキシル）	特になし	処方可
	クラリシッド、クラリス（クラリスロマイシン）	特になし	処方可
	ジスロマック（アジスロマイシン水和物）	特になし	処方可
	クラビット（レボフロキサシン水和物）	ニューキノロン系抗菌薬の作用減弱、抗菌力低下の可能性——ダイアルミネートが抗菌薬とキレートを形成し、吸収が阻害される	慎重を要する
抗炎症薬および鎮痛薬	カロナール（アセトアミノフェン）	特になし	処方可
	SG（イソプロピルアンチピリン、アセトアミノフェン、アリルイソプロピルアセチル尿素、無水カフェイン）	特になし	処方可
	ロキソニン（ロキソプロフェンナトリウム水和物）	出血および腎機能の低下を起こす可能性——機序不明	慎重を要する
	ボルタレン（ジクロフェナクナトリウム）	出血および腎機能の低下を起こす可能性、相互に作用減弱、消化器系の副作用増強の可能性	慎重を要する
抗真菌薬または抗ウイルス薬	フロリード（ミコナゾール）	特になし	処方可
	イトリゾール（イトラコナゾール）	イトラコナゾールの血中濃度低下の可能性——制酸剤の併用によりイトラコナゾールの最高血中濃度およびAUC減少の報告	慎重を要する
	バルトレックス（バラシクロビル塩酸塩）	特になし	処方可
	ゾビラックス（アシクロビル）	特になし	処方可
局所麻酔薬	エピリド、オーラ、キシロカイン（アドレナリン含有リドカイン塩酸塩）	特になし	処方可
	シタネスト - オクタプレシン（プロピトカイン塩酸塩・フェリプレシン）	特になし	処方可
胃粘膜保護薬	ムコスタ（レバミピド）	特になし	処方可

……処方可　……慎重を要する　……減量、休薬など　……併用禁忌／原則禁忌

One Point 一部抗菌薬の作用が減弱する可能性

　ダイアルミネートとキレートを形成し作用を減弱させる可能性があるのは、テトラサイクリン系、ニューキノロン系抗菌薬である。

　上記とは別に、イブプロフェン併用についても、本剤の血小板凝集抑制作用減弱の報告がある（先発品添付文書より）。

抗血栓薬

アピキサバン

アピキサバンは外因性及び内因性血液凝固経路の収束点である第Xa因子を阻害することにより、その下流のプロトロンビンからトロンビンへの変換を抑制し、直接的な抗血液凝固作用及び間接的な抗血小板作用を示す。

エリキュース

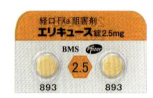

効能・効果	❶非弁膜症性心房細動患者における虚血性脳卒中及び全身性塞栓症の発症抑制 ❷静脈血栓塞栓症（深部静脈血栓症及び肺血栓塞栓症）の治療及び再発抑制	用法・用量	❶通常、成人にはアピキサバンとし1回5mgを1日2回経口投与する。なお、年齢、体重、腎機能に応じて、アピキサバンとして1回2.5mg 1日2回投与へ減量する ❷通常、成人にはアピキサバンとして1回10mgを1日2回、7日間経口投与した後、1回5mgを1日2回経口投与する
禁忌	本剤の成分に対し過敏症の既往歴のある患者、臨床的に問題となる出血症状のある患者、血液凝固異常及び臨床的に重要な出血リスクを有する肝疾患患者、腎不全（クレアチニンクリアランス（CLcr）15mL/min 未満）の患者、重度の腎障害（CLcr30mL/min 未満）の患者	副作用	重大な副作用：出血、間質性肺疾患、肝機能障害

半減期	6～8時間

アピキサバン

表 歯科医院で処方される主な併用薬との相互作用

併用薬	相互作用	方策
抗菌薬 サワシリン（アモキシシリン水和物）	特になし	○ 処方可
ケフラール（セファクロル）	特になし	○ 処方可
フロモックス（セフカペン ピボキシル塩酸塩水和物）	特になし	○ 処方可
メイアクトMS（セフジトレン ピボキシル）	特になし	○ 処方可
クラリシッド、クラリス（クラリスロマイシン）	本剤の血中濃度上昇、抗凝固作用増強の可能性がある	慎重を要する
ジスロマック（アジスロマイシン水和物）	出血の危険性が増大する可能性がある	慎重を要する
クラビット（レボフロキサシン水和物）	特になし	○ 処方可
抗炎症薬および鎮痛薬 カロナール（アセトアミノフェン）	特になし	○ 処方可
SG（イソプロピルアンチピリン、アセトアミノフェン、アリルイソプロピルアセチル尿素、無水カフェイン）	特になし	○ 処方可
ロキソニン（ロキソプロフェンナトリウム水和物）	出血の危険性が増大する可能性がある	慎重を要する
ボルタレン（ジクロフェナクナトリウム）	出血の危険性が増大する可能性がある	慎重を要する
抗真菌薬または抗ウイルス薬 フロリード（ミコナゾール）	特になし	○ 処方可
イトリゾール（イトラコナゾール）	本剤の血中濃度が上昇するおそれがある	慎重を要する
バルトレックス（バラシクロビル塩酸塩）	特になし	○ 処方可
ゾビラックス（アシクロビル）	特になし	○ 処方可
局所麻酔薬 エピリド、オーラ、キシロカイン（アドレナリン含有リドカイン塩酸塩）	特になし	○ 処方可
シタネスト－オクタプレシン（プロピトカイン塩酸塩・フェリプレシン）	特になし	○ 処方可
胃粘膜保護薬 ムコスタ（レバミピド）	特になし	○ 処方可

……処方可　……慎重を要する　……減量、休薬など　……併用禁忌／原則禁忌

One Point 本剤の排泄を阻害する薬との併用に注意

　本剤は、主にCYP3A4/5によって代謝される。また、本剤はP-糖蛋白及び乳糖耐性蛋白（BCRP）の基質となるので、イトラコナゾール、クラリスロマイシン、エリスロマイシンは、CYP3A4及び／又はP-糖蛋白の阻害作用により、本剤の代謝及び排出が阻害され、本剤の血中濃度が上昇し、出血の危険性が増大する可能性がある。イトラコナゾールを使用する場合には、本剤の減量を考慮する。

抗血栓薬

Edoxaban Tosilate Hydrat

エドキサバントシル酸塩水和物

エドキサバンは *in vitro* でヒトの活性化血液凝固第 X 因子（FXa）を競合的かつ選択的に阻害した。トロンビンなど、他の凝固関連因子のセリンプロテアーゼに対する阻害活性は弱かった。

リクシアナ

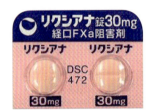

効能・効果	非弁膜症性心房細動患者における虚血性脳卒中及び全身性塞栓症の発症抑制　静脈血栓塞栓症（深部静脈血栓症及び肺血栓塞栓症）の治療及び再発抑制　下記の下肢整形外科手術施行患者における静脈血栓塞栓症の発症抑制膝関節全置換術、股関節全置換術、股関節骨折手術	用法・用量	体重 60kg 以下の場合、30mg を、体重 60kg 超の場合 60mg を、1 日 1 回経口投与する
禁忌	本剤の成分に対し過敏症の既往歴のある患者、出血している患者、急性細菌性心内膜炎の患者、腎不全のある患者、高度の腎機能障害のある患者	副作用	重大な副作用：出血、肝機能障害、黄疸、間質性肺疾患

半減期	6.7 時間

エドキサバントシル酸塩水和物

表 歯科医院で処方される主な併用薬との相互作用

	併用薬	相互作用	方策
抗菌薬	サワシリン（アモキシシリン水和物）	特になし	処方可
	ケフラール（セファクロル）	特になし	処方可
	フロモックス（セフカペン ピボキシル塩酸塩水和物）	特になし	処方可
	メイアクトMS（セフジトレン ピボキシル）	特になし	処方可
	クラリシッド、クラリス（クラリスロマイシン）	本剤の血中濃度を上昇させ、出血の危険性を増大させるおそれがある	慎重を要する
	ジスロマック（アジスロマイシン水和物）	本剤の血中濃度を上昇させ、出血の危険性を増大させるおそれがある	慎重を要する
	クラビット（レボフロキサシン水和物）	特になし	処方可
抗炎症薬および鎮痛薬	カロナール（アセトアミノフェン）	特になし	処方可
	SG（イソプロピルアンチピリン、アセトアミノフェン、アリルイソプロピルアセチル尿素、無水カフェイン）	特になし	処方可
	ロキソニン（ロキソプロフェンナトリウム水和物）	相互に抗血栓作用を増強させ、出血の危険性を増大させるおそれがある	慎重を要する
	ボルタレン（ジクロフェナクナトリウム）	相互に抗血栓作用を増強させ、出血の危険性を増大させるおそれがある	慎重を要する
抗真菌薬または抗ウイルス薬	フロリード（ミコナゾール）	特になし	処方可
	イトリゾール（イトラコナゾール）	本剤の血中濃度を上昇させ、出血の危険性を増大させるおそれがある	慎重を要する
	バルトレックス（バラシクロビル塩酸塩）	特になし	処方可
	ゾビラックス（アシクロビル）	特になし	処方可
局所麻酔薬	エピリド、オーラ、キシロカイン（アドレナリン含有リドカイン塩酸塩）	特になし	処方可
	シタネスト - オクタプレシン（プロピトカイン塩酸塩・フェリプレシン）	特になし	処方可
胃粘膜保護薬	ムコスタ（レバミピド）	特になし	処方可

……処方可　……慎重を要する　……減量、休薬など　……併用禁忌／原則禁忌

One Point　P糖蛋白阻害作用を有する薬との併用に注意

　本剤はP糖蛋白の基質であるため、P糖蛋白阻害作用を有する薬剤であるイトラコナゾール、クラリスロマイシン、エリスロマイシン、アジスロマイシンは、本剤の血中濃度を上昇し、出血の危険性が増大する可能性があるので注意する。また、血小板凝集抑制作用を有する非ステロイド性消炎鎮痛薬の投与に注意する。

抗血栓薬

Clopidogrel Sulfate
クロピドグレル硫酸塩

本剤は血小板のADP受容体（P2Y$_{12}$）に不可逆的に結合し、ADP受容体を介した血小板の凝集反応を抑制する。クロピドグレルは代謝されて初めて作用を発揮するが、本剤を代謝する酵素CYP2C19には遺伝子多型が存在し、活性の低い患者群もみられる（クロピドグレル抵抗性）。

プラビックス

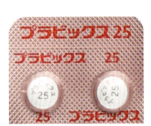

後 クロピドグレル
「アメル」「科研」「クニヒロ」「杏林」「ケミファ」「サワイ」「サンド」「三和」「タナベ」「ツルハラ」「テバ」「トーワ」「日新」「ニットー」「ニプロ」「ファイザー」「フェルゼン」「明治」「モチダ」「AA」「DK」「EE」「FFP」「JG」「KN」「KO」「SN」「TCK」「YD」「ZE」

効能・効果	虚血性脳血管障害（心原性脳塞栓症を除く）後の再発抑制、経皮的冠動脈形成術（PCI）が適用される急性冠症候群、安定狭心症、陳旧性心筋梗塞 末梢動脈疾患における血栓・塞栓形成抑制	用法・用量	**虚血性脳血管障害** 75mgを1日1回、年齢、体重、症状により50mgを1日1回 **PCI** 初め300mgを1日1回投与し、その後維持量として75mgを1日1回 **末梢動脈疾患** 75mgを1日1回
禁忌	出血している患者、本剤の成分に対し過敏症の既往歴のある患者、セレキシパグ投与中の患者	副作用	重大な副作用：出血、胃・十二指腸潰瘍、肝機能障害、黄疸、血栓性血小板減少性紫斑病、間質性肺炎、好酸球性肺炎、血小板減少、無顆粒球症、再生不良性貧血を含む汎血球減少症、中毒性表皮壊死融解症、皮膚粘膜眼症候群、多形滲出性紅斑、急性汎発性発疹性膿疱症、薬剤性過敏症症候群、後天性血友病、横紋筋融解症

半減期 75mgでおよそ7時間（血小板の不可逆的阻害であるため、薬理効果は半減期に関係なく、血小板の寿命まで持続する）

クロピドグレル硫酸塩

表 歯科医院で処方される主な併用薬との相互作用

併用薬		相互作用	方策
抗菌薬	サワシリン（アモキシシリン水和物）	特になし	○ 処方可
	ケフラール（セファクロル）	特になし	○ 処方可
	フロモックス（セフカペン ピボキシル塩酸塩水和物）	特になし	○ 処方可
	メイアクトMS（セフジトレン ピボキシル）	特になし	○ 処方可
	クラリシッド、クラリス（クラリスロマイシン）	特になし	○ 処方可
	ジスロマック（アジスロマイシン水和物）	特になし	○ 処方可
	クラビット（レボフロキサシン水和物）	特になし	○ 処方可
抗炎症薬および鎮痛薬	カロナール（アセトアミノフェン）	特になし	○ 処方可
	SG（イソプロピルアンチピリン、アセトアミノフェン、アリルイソプロピルアセチル尿素、無水カフェイン）	特になし	○ 処方可
	ロキソニン（ロキソプロフェンナトリウム水和物）	出血リスク増大の可能性──ロキソプロフェンの血小板機能阻害作用と本剤の作用による	慎重を要する
	ボルタレン（ジクロフェナクナトリウム）	出血リスク増大の可能性──ジクロフェナクの血小板機能阻害作用と本剤の作用による	慎重を要する
抗真菌薬または抗ウイルス薬	フロリード（ミコナゾール）	特になし	○ 処方可
	イトリゾール（イトラコナゾール）	特になし	○ 処方可
	バルトレックス（バラシクロビル塩酸塩）	特になし	○ 処方可
	ゾビラックス（アシクロビル）	特になし	○ 処方可
局所麻酔薬	エピリド、オーラ、キシロカイン（アドレナリン含有リドカイン塩酸塩）	特になし	○ 処方可
	シタネスト-オクタプレシン（プロピトカイン塩酸塩・フェリプレシン）	特になし	○ 処方可
胃粘膜保護薬	ムコスタ（レバミピド）	特になし	○ 処方可

……処方可　……慎重を要する　……減量、休薬など　……併用禁忌／原則禁忌

One Point 口腔に現れる副作用に注意する

出血のほか、口内炎、口渇、歯肉腫脹、唾液分泌過多、味覚異常、味覚消失などがその他の副作用に記載されている（先発品添付文書より）。

現在、ステントを用いた経皮的冠動脈インターベンション（PCI）後の一定の期間は、アスピリンと本剤のようなチエノピリジン系抗血小板薬の併用投与が行われている。

抗血栓薬

シロスタゾール
Cilostazol

シロスタゾールは血小板内のシグナル伝達物質cAMPを代謝する酵素（PDE3）を特異的に阻害する。PDE3阻害によって、代謝されなくなったcAMPが血小板内で増えると、血小板凝集につながる反応が抑制される。
服用者の運動・嚥下機能に配慮した、水なしで飲める剤形が展開されている。

プレタール

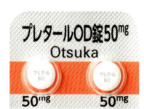

後 シロスタゾール
「オーハラ」「ケミファ」「サワイ」「ダイト」「タカタ」
「ツルハラ」「テバ」「トーワ」「日医工」「マイラン」
「JG」「KN」「KO」「SN」「YD」

後 シロスレット

効能・効果	慢性動脈閉塞症に基づく潰瘍、疼痛および冷感などの虚血性諸症状の改善 脳梗塞（心原性脳塞栓症を除く）発症後の再発抑制	用法・用量	100mgを1日2回、年齢、症状により適宜増減
警告	脈拍数が増加し、狭心症が発現することがあるため、狭心症の症状（胸痛など）に対する問診を注意深く行うこと	禁忌	出血している患者、うっ血性心不全、本剤の成分に対し過敏症の既往歴のある患者、妊婦または妊娠の可能性のある者
		副作用	重大な副作用：うっ血性心不全、心筋梗塞、狭心症、心室頻拍、出血、胃・十二指腸潰瘍、汎血球減少、無顆粒球症、血小板減少、間質性肺炎、肝機能障害、黄疸、急性腎不全

半減期	100mgで10〜13時間

シロスタゾール

表　歯科医院で処方される主な併用薬との相互作用

併用薬	相互作用	方策
抗菌薬 サワシリン（アモキシシリン水和物）	特になし	○ 処方可
ケフラール（セファクロル）	特になし	○ 処方可
フロモックス（セフカペン ピボキシル塩酸塩水和物）	特になし	○ 処方可
メイアクトMS（セフジトレン ピボキシル）	特になし	○ 処方可
クラリシッド、クラリス（クラリスロマイシン）	本剤の作用増強の可能性——マクロライド系抗生物質による代謝阻害。本剤の減量、または低用量から服用開始等	減量、休薬など
ジスロマック（アジスロマイシン水和物）	本剤の作用増強の可能性——マクロライド系抗生物質による代謝阻害。本剤の減量、または低用量から服用開始等	減量、休薬など
クラビット（レボフロキサシン水和物）	特になし	○ 処方可
抗炎症薬および鎮痛薬 カロナール（アセトアミノフェン）	特になし	○ 処方可
SG（イソプロピルアンチピリン、アセトアミノフェン、アリルイソプロピルアセチル尿素、無水カフェイン）	特になし	○ 処方可
ロキソニン（ロキソプロフェンナトリウム水和物）	特になし	○ 処方可
ボルタレン（ジクロフェナクナトリウム）	特になし	○ 処方可
抗真菌薬または抗ウイルス薬 フロリード（ミコナゾール）	本剤の作用増強の可能性——アゾール系抗真菌薬による代謝阻害。本剤の減量、または低用量から服用開始等	減量、休薬など
イトリゾール（イトラコナゾール）	本剤の作用増強の可能性——アゾール系抗真菌薬による代謝阻害。本剤の減量、または低用量から服用開始等	減量、休薬など
バルトレックス（バラシクロビル塩酸塩）	特になし	○ 処方可
ゾビラックス（アシクロビル）	特になし	○ 処方可
局所麻酔薬 エピリド、オーラ、キシロカイン（アドレナリン含有リドカイン塩酸塩）	特になし	○ 処方可
シタネスト‐オクタプレシン（プロピトカイン塩酸塩・フェリプレシン）	特になし	○ 処方可
胃粘膜保護薬 ムコスタ（レバミピド）	特になし	○ 処方可

……処方可　　……慎重を要する　　……減量、休薬など　　……併用禁忌／原則禁忌

One Point　CYP3A4に関わる相互作用に注意

　本剤は主として肝臓の代謝酵素CYP3A4により代謝される。マクロライド系抗菌薬、アゾール系抗真菌薬など、CYP3A4を阻害する薬剤を併用する際は、減量あるいは低用量から開始するなど注意する旨、本剤とグレープフルーツジュースの同時摂取はしないように注意する旨記載されている。また「その他の副作用」に味覚異常、口渇が記載されている（先発品添付文書より）。

抗血栓薬

ダビガトランエテキシラートメタンスルホン酸塩

Dabigatran Etexilate Methanesulfonate

直接経口抗凝固薬（DOAC）のひとつで、抗トロンビン薬。体内でダビガトランに変換されて作用を発揮する（プロドラッグ）。本剤はフィブリン血栓ができるまでの凝固カスケードのうち、フィブリン形成に関わるトロンビン活性部位に結合し、抗凝固作用を示す。大部分が腎臓から排泄される。使用の際は腎機能や出血リスクを考慮し、十分なモニタリングを行う。

プラザキサ

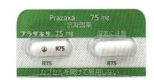

効能・効果	非弁膜症性心房細動患者における虚血性脳卒中および全身性塞栓症の発症抑制	用法・用量	150mgを1日2回、必要に応じて110mgを1日2回に減量
警告	消化管出血等、本剤投与での出血による死亡例が認められている。使用にあたっては出血の危険性を考慮し、投与適否を慎重に判断すること。本剤による出血リスクを正確に評価可能な指標は未確立であるため、投与中は血液凝固に関する検査だけでなく出血、貧血等の徴候を十分に観察し、これらの徴候が認められた際にはただちに適切な処置を行うこと。	禁忌	本剤の成分に対し過敏症の既往歴のある患者、透析患者を含む高度腎障害、出血症状、出血性素因、止血障害のある患者、臨床的に問題となる出血リスクのある器質的病変、脊椎・硬膜外カテーテルを留置中あるいは抜去後1時間以内、イトラコナゾール（経口薬）投与中の患者
		副作用	重大な副作用：出血、間質性肺炎、アナフィラキシー、急性肝不全、肝機能障害、黄疸

半減期	150mgを1日2回反復投与でおよそ12時間

ダビガトランエテキシラートメタンスルホン酸塩

表 歯科医院で処方される主な併用薬との相互作用

	併用薬	相互作用	方策
抗菌薬	サワシリン（アモキシシリン水和物）	特になし	○ 処方可
	ケフラール（セファクロル）	特になし	○ 処方可
	フロモックス（セフカペン ピボキシル塩酸塩水和物）	特になし	○ 処方可
	メイアクトMS（セフジトレン ピボキシル）	特になし	○ 処方可
	クラリシッド、クラリス（クラリスロマイシン）	本剤の血中濃度上昇、抗凝固作用増強の可能性――クラリスロマイシンによる排泄阻害	慎重を要する
	ジスロマック（アジスロマイシン水和物）	特になし	○ 処方可
	クラビット（レボフロキサシン水和物）	特になし	○ 処方可
抗炎症薬および鎮痛薬	カロナール（アセトアミノフェン）	特になし	○ 処方可
	SG（イソプロピルアンチピリン、アセトアミノフェン、アリルイソプロピルアセチル尿素、無水カフェイン）	特になし	○ 処方可
	ロキソニン（ロキソプロフェンナトリウム水和物）	出血リスク増大の可能性――ロキソプロフェンの血小板機能阻害作用と本剤の作用による	慎重を要する
	ボルタレン（ジクロフェナクナトリウム）	出血リスク増大の可能性――ジクロフェナクの血小板機能阻害作用と本剤の作用による	慎重を要する
抗真菌薬または抗ウイルス薬	フロリード（ミコナゾール）	特になし	○ 処方可
	イトリゾール（イトラコナゾール）	本剤の血中濃度上昇、出血リスク増大の可能性――イトラコナゾールによる排泄阻害	✗ 併用禁忌
	バルトレックス（バラシクロビル塩酸塩）	特になし	○ 処方可
	ゾビラックス（アシクロビル）	特になし	○ 処方可
局所麻酔薬	エピリド、オーラ、キシロカイン（アドレナリン含有リドカイン塩酸塩）	特になし	○ 処方可
	シタネスト - オクタプレシン（プロピトカイン塩酸塩・フェリプレシン）	特になし	○ 処方可
胃粘膜保護薬	ムコスタ（レバミピド）	特になし	○ 処方可

……処方可　……慎重を要する　……減量、休薬など　……併用禁忌／原則禁忌

One Point 本剤の排泄を阻害する薬との併用に注意

NSAIDS、クラリスロマイシン、エリスロマイシンとの併用においては、いずれも治療上の有益性と危険性を十分に考慮し、使用が適切と判断される患者のみ併用する旨記載されている（先発品添付文書より）。

抗血栓薬

Ticlopidine Hydrochloride
チクロピジン塩酸塩

血小板のADP受容体（P2Y$_{12}$）に結合し、血小板の凝集反応を不可逆的に抑制する。使用初期に副作用が起こりやすく、定期的な血液検査が必要である。同じチエノピリジン誘導体では、より副作用の少ないクロピドグレルや、第三世代のプラスグレルが登場している。

パナルジン

後 チクロピジン塩酸塩
「杏林」「サワイ」「ツルハラ」「トーワ」「日医工」「NP」「YD」

効能・効果	血管手術および血液体外循環に伴う血栓・塞栓の治療、血流障害改善 慢性動脈閉塞症に伴う潰瘍、疼痛および冷感などの阻血性諸症状の改善 虚血性脳血管障害に伴う血栓・塞栓の治療 クモ膜下出血術後の脳血管攣縮に伴う血流障害改善
用法・用量	**血管手術** 1日に200〜300mgを2〜3分服（食後） **慢性動脈閉塞症** 1日に300〜600mgを2〜3分服（食後） **虚血性脳血管障害** 1日に200〜300mgを2〜3分服または200mgを1日1回（食後） **クモ膜下出血** 1日に300mgを3分服（食後） いずれも年齢、症状により適宜増減
警告	血栓性血小板減少性紫斑病、無顆粒球症、重篤な肝障害などの重大な副作用が主に投与開始後2ヵ月以内に発現、死亡例の報告。投与開始から2ヵ月は原則として2週間に一度血球算定と肝機能検査を行う。検査のための定期的来院と副作用について患者説明・指導を行う。投与開始から2ヵ月は原則として1回に2週間分を処方する。
禁忌	出血している患者、重篤な肝障害、白血球減少症の患者、チクロピジン塩酸塩による白血球減少症の既往歴、チクロピジン塩酸塩に対する過敏症の既往歴のある患者 原則禁忌*肝障害のある患者
副作用	重大な副作用：血栓性血小板減少性紫斑病、無顆粒球症、重篤な肝障害、再生不良性貧血を含む汎血球減少症、赤芽球癆、血小板減少症、出血、中毒性表皮壊死融解症、皮膚粘膜眼症候群、多形滲出性紅斑、紅皮症、消化性潰瘍、急性腎障害、間質性肺炎、SLE様症状

半減期 500mgでおよそ1.6時間（血小板の不可逆的阻害であるため、薬理効果は半減期に関係なく、血小板の寿命まで持続する）

表　歯科医院で処方される主な併用薬との相互作用

併用薬		相互作用	方策
抗菌薬	サワシリン（アモキシシリン水和物）	特になし	〇 処方可
	ケフラール（セファクロル）	特になし	〇 処方可
	フロモックス（セフカペン ピボキシル塩酸塩水和物）	特になし	〇 処方可
	メイアクトMS（セフジトレン ピボキシル）	特になし	〇 処方可
	クラリシッド、クラリス（クラリスロマイシン）	特になし	〇 処方可
	ジスロマック（アジスロマイシン水和物）	特になし	〇 処方可
	クラビット（レボフロキサシン水和物）	特になし	〇 処方可
抗炎症薬および鎮痛薬	カロナール（アセトアミノフェン）	特になし	〇 処方可
	SG（イソプロピルアンチピリン、アセトアミノフェン、アリルイソプロピルアセチル尿素、無水カフェイン）	特になし	〇 処方可
	ロキソニン（ロキソプロフェンナトリウム水和物）	特になし	〇 処方可
	ボルタレン（ジクロフェナクナトリウム）	特になし	〇 処方可
抗真菌薬または抗ウイルス薬	フロリード（ミコナゾール）	特になし	〇 処方可
	イトリゾール（イトラコナゾール）	特になし	〇 処方可
	バルトレックス（バラシクロビル塩酸塩）	特になし	〇 処方可
	ゾビラックス（アシクロビル）	特になし	〇 処方可
局所麻酔薬	エピリド、オーラ、キシロカイン（アドレナリン含有リドカイン塩酸塩）	特になし	〇 処方可
	シタネスト-オクタプレシン（プロピトカイン塩酸塩・フェリプレシン）	特になし	〇 処方可
胃粘膜保護薬	ムコスタ（レバミピド）	特になし	〇 処方可

……処方可　　……慎重を要する　　……減量、休薬など　　……併用禁忌／原則禁忌

One Point　本剤の抗血小板作用は血小板の寿命まで続く

　その他の副作用として歯肉出血、口内炎、（頻度不明）味覚障害が記載されている（先発品添付文書より）。

　チエノピリジン系抗血小板薬はチクロピジン、クロピドグレル、プラスグレルが国内で使用されており、その抗血小板作用は半減期にかかわらず血小板のターンオーバーまで持続する。

抗血栓薬

Prasugrel Hydrochloride
プラスグレル塩酸塩

プラスグレル塩酸塩はプロドラッグであり、生体内で活性代謝物に変換された後、血小板膜上の ADP 受容体 P2Y$_{12}$ を選択的かつ非可逆的に阻害することで血小板凝集を抑制する。

エフィエント

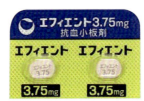

効能・効果	経皮的冠動脈形成術（PCI）が適用される下記の虚血性心疾患 急性冠症候群（不安定狭心症、非ST上昇心筋梗塞、ST上昇心筋梗塞）	用法・用量	１日１回20mg経口投与し、その後、維持用量として１日１回3.75mgを経口投与する
禁忌	出血している患者（血友病、頭蓋内出血、消化管出血、尿路出血、喀血、硝子体出血等）、本剤の成分に対し過敏症の既往歴のある患者	副作用	重大な副作用：出血、血栓性血小板減少性紫斑病（TTP）、過敏症、肝機能障害、黄疸、無顆粒球症、再生不良性貧血を含む汎血球減少症

半減期	4.9 時間

プラスグレル塩酸塩

表 歯科医院で処方される主な併用薬との相互作用

併用薬		相互作用	方策
抗菌薬	サワシリン（アモキシシリン水和物）	特になし	○ 処方可
	ケフラール（セファクロル）	特になし	○ 処方可
	フロモックス（セフカペン ピボキシル塩酸塩水和物）	特になし	○ 処方可
	メイアクト MS（セフジトレン ピボキシル）	特になし	○ 処方可
	クラリシッド、クラリス（クラリスロマイシン）	特になし	○ 処方可
	ジスロマック（アジスロマイシン水和物）	特になし	○ 処方可
	クラビット（レボフロキサシン水和物）	特になし	○ 処方可
抗炎症薬および鎮痛薬	カロナール（アセトアミノフェン）	特になし	○ 処方可
	SG（イソプロピルアンチピリン、アセトアミノフェン、アリルイソプロピルアセチル尿素、無水カフェイン）	特になし	○ 処方可
	ロキソニン（ロキソプロフェンナトリウム水和物）	相互に抗血栓作用を増強させ、出血の危険性を増大させるおそれがある	慎重を要する
	ボルタレン（ジクロフェナクナトリウム）	相互に抗血栓作用を増強させ、出血の危険性を増大させるおそれがある	慎重を要する
抗真菌薬または抗ウイルス薬	フロリード（ミコナゾール）	特になし	○ 処方可
	イトリゾール（イトラコナゾール）	特になし	○ 処方可
	バルトレックス（バラシクロビル塩酸塩）	特になし	○ 処方可
	ゾビラックス（アシクロビル）	特になし	○ 処方可
局所麻酔薬	エピリド、オーラ、キシロカイン（アドレナリン含有リドカイン塩酸塩）	特になし	○ 処方可
	シタネスト‐オクタプレシン（プロピトカイン塩酸塩・フェリプレシン）	特になし	○ 処方可
胃粘膜保護薬	ムコスタ（レバミピド）	特になし	○ 処方可

……処方可　……慎重を要する　……減量、休薬など　……併用禁忌／原則禁忌

One Point　非ステロイド性消炎鎮痛薬との併用に注意

抗血栓作用を有する非ステロイド性消炎鎮痛薬との併用に注意する。特に本剤とアスピリンの抗血小板薬二剤併用療法を施行している患者には、出血の危険性を増大する可能性がある。

抗血栓薬

リバーロキサバン
Rivaroxaban

直接経口抗凝固薬（DOAC）のひとつで、第Ⅹa因子阻害薬。フィブリン血栓ができるまでの凝固カスケードのうち、プロトロンビンをトロンビンへと活性化する第Ⅹa因子（活性化第Ⅹ因子）を選択的に阻害する。同じ第Ⅹa因子阻害薬に、アピキサバン、エドキサバントシル酸塩水和物がある。

イグザレルト

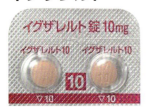
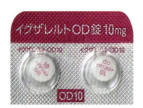

効能・効果	非弁膜症性心房細動患者における虚血性脳卒中および全身性塞栓症の発症抑制　深部静脈血栓症および肺血栓塞栓症の治療と再発抑制	用法・用量	[非弁膜症性心房細動患者] 15mgを1日1回（食後）、腎障害の患者に対しては腎機能の程度に応じて10mgを1日1回に減量　[深部静脈血栓症および肺血栓塞栓症] 深部静脈血栓症または肺血栓塞栓症発症後の初期3週間は15mgを1日2回、その後15mgを1日1回（食後）
警告	[共通] 本剤投与により出血が発現し、重篤な場合死亡のおそれ。使用にあたっては出血の危険性を考慮し、投与適否を慎重に判断すること。本剤による出血リスクを正確に評価可能な指標は未確立であり、また抗凝固作用を中和する薬剤はない。よって、投与中は血液凝固に関する検査だけでなく出血、貧血等の徴候を十分に観察し、これらの徴候が認められた際にはただちに適切な処置を行うこと。　[深部静脈血栓症および肺血栓塞栓症] (1)深部静脈血栓症または肺血栓塞栓症発症後初期3週間の15mgを1日2回投与の際、特に出血の危険性が高まる可能性を考慮するとともに、出血リスクに十分配慮し、特に腎障害、高齢または低体重の患者では出血の危険性が増大するおそれがあること、抗血小板薬を併用する患者では出血傾向が増大する恐れがあることから、これら患者については治療上の有益性が危険性を上回ると判断されたときのみ本剤を投与すること。(2)脊椎・硬膜外麻酔あるいは腰椎穿刺等との併用で穿刺部位に血腫が生じ、神経圧迫による麻痺出現のおそれがある。深部静脈血栓症または肺血栓塞栓症を発症した患者が硬膜外カテーテル留置中、もしくは脊椎・硬膜外麻酔あるいは腰椎穿刺後日の浅い場合は、本剤の投与を控えること。	禁忌	[共通] 本剤の成分に対し過敏症の既往歴のある者、出血している患者、凝固障害を伴う肝疾患、中等度以上の肝障害、妊婦または妊娠の可能性のある者、HIVプロテアーゼ阻害薬を投与中、コビシスタット含有製剤を投与中、アゾール系抗真菌薬の経口または注射薬を投与中、急性細菌性心内膜炎の患者　[非弁膜症性心房細動患者] 腎不全の患者　[深部静脈血栓症および肺血栓塞栓症] 重度の腎障害の患者
		副作用	重大な副作用：重篤な出血、肝機能障害、黄疸、間質性肺疾患、血小板減少
		半減期	10mgでおよそ7時間

表 歯科医院で処方される主な併用薬との相互作用

	併用薬	相互作用		方策
抗菌薬	サワシリン（アモキシシリン水和物）	特になし	○	処方可
	ケフラール（セファクロル）	特になし	○	処方可
	フロモックス（セフカペン ピボキシル塩酸塩水和物）	特になし	○	処方可
	メイアクトMS（セフジトレン ピボキシル）	特になし	○	処方可
	クラリシッド、クラリス（クラリスロマイシン）	本剤の血中濃度上昇、作用増強の可能性──クラリスロマイシンによる代謝・排泄阻害。血栓症発症3週間は併用を避ける。再発抑制では本剤の減量を考慮		減量、休薬など
	ジスロマック（アジスロマイシン水和物）	特になし	○	処方可
	クラビット（レボフロキサシン水和物）	特になし	○	処方可
抗炎症薬および鎮痛薬	カロナール（アセトアミノフェン）	特になし	○	処方可
	SG（イソプロピルアンチピリン、アセトアミノフェン、アリルイソプロピルアセチル尿素、無水カフェイン）	特になし	○	処方可
	ロキソニン（ロキソプロフェンナトリウム水和物）	出血リスク増大の可能性──抗血栓作用を増強するため		慎重を要する
	ボルタレン（ジクロフェナクナトリウム）	出血リスク増大の可能性──ジクロフェナクの血小板凝集抑制作用と本剤の抗凝固作用により相加的に出血傾向増強		慎重を要する
抗真菌薬または抗ウイルス薬	フロリード（ミコナゾール）	本剤の血中濃度上昇、抗凝固作用増強、出血リスク増大の可能性──ミコナゾールによる強力な代謝・排泄阻害	×	併用禁忌
	イトリゾール（イトラコナゾール）	本剤の血中濃度上昇、出血リスク増大の可能性──イトラコナゾールによる強力な代謝・排泄阻害	×	併用禁忌
	バルトレックス（バラシクロビル塩酸塩）	特になし	○	処方可
	ゾビラックス（アシクロビル）	特になし	○	処方可
局所麻酔薬	エピリド、オーラ、キシロカイン（アドレナリン含有リドカイン塩酸塩）	特になし	○	処方可
	シタネスト-オクタプレシン（プロピトカイン塩酸塩・フェリプレシン）	特になし	○	処方可
胃粘膜保護薬	ムコスタ（レバミピド）	特になし	○	処方可

……処方可　……慎重を要する　……減量、休薬など　……併用禁忌／原則禁忌

One Point　抜歯するタイミングに注意する

　その他の副作用として歯肉出血、口腔内出血、口腔乾燥が記載されている（先発品添付文書より）。「抗血栓療法患者の抜歯に関するガイドライン2020年版」では、継続下での抜歯が推奨され、薬物動態から考えて血中濃度のピーク時を避けて、内服6時間後に抜歯を行うと出血性合併症の可能性が低いとされている。

抗血栓薬

Warfarin Potassium

ワルファリンカリウム

凝固因子第Ⅶ、Ⅸ、Ⅹ、Ⅱは、肝臓で凝固活性を得る際にビタミンKを必要とする。活性化に使われたビタミンKは再利用されるが、ワルファリンカリウムはその再利用過程を抑制するため、肝臓では活性の低下した凝固因子が産生されることになる。本剤は他剤や食物との相互作用について多く報告が行われている。

ワーファリン

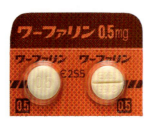

ワルファリンK
「テバ」「トーワ」「日新」
「F」「NP」

㊡ **ワルファリンK**
「NS」「YD」

効能・効果	血栓塞栓症の治療および予防	用法・用量	初回投与量は1〜5mgを1日1回、血液凝固能検査値に基づき投与量を決定、血液凝固能管理を十分に行いつつ使用する。初回投与後数日かけて検査により用量調節し、維持投与量を決定する。ワルファリンに対する感受性は個体差が大きく、同一個人でも変化がみられることがあるため、定期的に血液凝固能検査を行い、維持投与量を必要に応じて調節する。抗凝固効果発現を急ぐ場合は初回にヘパリン等の併用を考慮
警告	カペシタビンとの併用により、本剤の作用が増強し出血が発現、死亡に至った報告がある。併用の際は血液凝固能検査を定期的に行い、必要に応じ適切な処置を行うこと。	禁忌	出血している、出血の可能性のある患者、重篤な肝・腎障害、中枢神経系の手術または外傷後日の浅い患者、妊婦または妊娠の可能性のある者、骨粗鬆症治療用ビタミンK₂製剤投与中、イグラチモド投与中、ミコナゾール（ゲル剤・注射剤・錠剤）投与中の患者
		副作用	重大な副作用：出血、皮膚壊死、カルシフィラキシス、肝機能障害、黄疸

半減期	60〜133時間

ワルファリンカリウム

表　歯科医院で処方される主な併用薬との相互作用

併用薬		相互作用	方策
抗菌薬	サワシリン（アモキシシリン水和物）	本剤の作用増強の可能性——ペニシリン系抗生物質の腸内細菌抑制作用によるビタミンK産生抑制	慎重を要する
	ケフラール（セファクロル）	本剤の作用増強の可能性——セフェム系抗生物質の腸内細菌抑制作用によるビタミンK産生抑制	慎重を要する
	フロモックス（セフカペン ピボキシル塩酸塩水和物）	本剤の作用増強の可能性——セフェム系抗生物質の腸内細菌抑制作用によるビタミンK産生抑制	慎重を要する
	メイアクトMS（セフジトレン ピボキシル）	本剤の作用増強の可能性——セフェム系抗生物質の腸内細菌抑制作用によるビタミンK産生抑制	慎重を要する
	クラリシッド、クラリス（クラリスロマイシン）	本剤の作用増強の可能性——クラリスロマイシンによる代謝阻害	慎重を要する
	ジスロマック（アジスロマイシン水和物）	本剤の作用増強の可能性——機序不明	慎重を要する
	クラビット（レボフロキサシン水和物）	本剤の作用増強の可能性——機序不明	慎重を要する
抗炎症薬および鎮痛薬	カロナール（アセトアミノフェン）	本剤の作用増強の可能性——血漿タンパク結合部位における競合。アセトアミノフェンを減量する等慎重に投与	減量、休薬など
	SG（イソプロピルアンチピリン、アセトアミノフェン、アリルイソプロピルアセチル尿素、無水カフェイン）	特になし	処方可
	ロキソニン（ロキソプロフェンナトリウム水和物）	出血傾向増強、消化管出血のおそれ——ロキソプロフェンの血小板凝集能阻害作用による	慎重を要する
	ボルタレン（ジクロフェナクナトリウム）	出血傾向増強、消化管出血のおそれ——ジクロフェナクの血小板凝集能阻害作用による	慎重を要する
抗真菌薬または抗ウイルス薬	フロリード（ミコナゾール）	本剤の作用増強の可能性——ミコナゾールによる代謝阻害（ゲル剤・注射剤・錠剤）	併用禁忌
	イトリゾール（イトラコナゾール）	本剤の作用増強の可能性——イトラコナゾールによる代謝阻害	慎重を要する
	バルトレックス（バラシクロビル塩酸塩）	特になし	処方可
	ゾビラックス（アシクロビル）	特になし	処方可
局所麻酔薬	エピリド、オーラ、キシロカイン（アドレナリン含有リドカイン塩酸塩）	特になし	処方可
	シタネスト-オクタプレシン（プロピトカイン塩酸塩・フェリプレシン）	特になし	処方可
胃粘膜保護薬	ムコスタ（レバミピド）	特になし	処方可

……処方可　　……慎重を要する　　……減量、休薬など　　……併用禁忌／原則禁忌

One Point  本剤は多くの薬剤と相互作用を有するため注意

「抗血栓療法患者の抜歯に関するガイドライン2020年版」では、ワルファリン単剤服用患者において、休薬した場合、脳梗塞などの血栓塞栓症が増加する可能性があるので、血液凝固検査 PT-INR が疾患における至適治療域（1.6～3.0）にコントロールされている場合には、ワルファリン継続下での抜歯を推奨している。抜歯後に処方する抗菌薬、鎮痛薬はワルファリンの作用を増強し、出血のリスクがあるので注意する。

チェアサイドでそのまま使える！ 持病患者さんのコンサル本

歯医者さんに教えて！
どんなお薬飲んでいますか？

患者さんの薬と持病を確認するときに使う本

[監修]長坂 浩　[編集]中島 丘
[執筆]今村栄作／岩﨑妙子／久保山裕子／星島 宏／守安克也／山口秀紀

問診時のこんな疑問を解消！

- ☑ どんな薬が処方されているの？
- ☑ この薬の目的・用途は？
- ☑ 歯科治療で注意したいことは？
- ☑ この全身疾患はどんな疾患？
- ☑ 併用禁忌の薬剤は？
- ☑ 患者さんに聞いておきたいことは？
- ☑ 患者さんに伝えるべきことは？

患者さんと一緒に確認できる！

写真でわかる主な薬剤一覧つき！（全身疾患別）

●サイズ：A4判変型　●80ページ　●定価5,280円（本体4,800円＋税10%）

クインテッセンス出版株式会社

〒113-0033　東京都文京区本郷3丁目2番6号　クイントハウスビル

脂質異常症治療薬
FOR Dyslipidemia

併用禁忌の記載がある掲載薬の一覧

▼投与薬について抽出し、歯科で処方される薬を含むものを赤背景とし、かつ歯科で使われる薬を赤字で示す。

一般名		添付文書の[禁忌]における記載内容
アトルバスタチンカルシウム水和物	➡ p.126	グレカプレビル・ピブレンタスビルを投与中の患者
イコサペント酸エチル	➡ p.128	特になし
エゼチミブ	➡ p.130	本剤と HMG-CoA 還元酵素阻害剤を併用する場合、重篤な肝機能障害のある患者
オメガ-3脂肪酸エチル	➡ p.132	特になし
プラバスタチンナトリウム	➡ p.134	特になし
ベザフィブラート	➡ p.136	特になし
ロスバスタチンカルシウム	➡ p.138	シクロスポリンを投与中の患者

脂質異常症治療薬

Atorvastatin Calcium Hydrate

アトルバスタチンカルシウム水和物

HMG-CoA 還元酵素阻害薬のひとつ（ストロングスタチン）。コレステロール合成の速度を決めている HMG-CoA 還元酵素を阻害する。コレステロール合成が抑制された肝臓においては、コレステロールを一定に保つため血中の LDL コレステロールが肝臓に取り込まれ、結果血中の LDL コレステロールが減少する。

リピトール

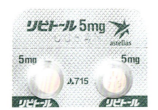

後 アトルバスタチン

「アメル」「杏林」「ケミファ」「サワイ」「サンド」「トーワ」「日医工」「モチダ」「DSEP」「EE」「JG」「KN」「Me」「NP」「NS」「TCK」「TSU」「TYK」「YD」「ZE」

効能・効果	高コレステロール血症、家族性高コレステロール血症
禁忌	本剤の成分に対し過敏症の既往歴のある患者、急性肝炎、慢性肝炎急性増悪、肝硬変、肝臓癌、黄疸のような肝代謝能の低下が考えられる患者、妊婦または妊娠の可能性のある者、授乳中、テラプレビル、オムビタスビル・パリタプレビル・リトナビル、グレカプレビル・ピブレンタスビル投与中の患者

用法・用量	10mg を 1 日 1 回、重症例は高コレステロール血症で 1 日 20mg まで、家族性高コレステロール血症で 1 日 40mg まで増量可、年齢、症状により適宜増減
副作用	重大な副作用：横紋筋融解症、ミオパチー、免疫介在性壊死性ミオパチー、劇症肝炎、肝炎、肝機能障害、黄疸、過敏症、無顆粒球症、汎血球減少症、血小板減少症、中毒性表皮壊死融解症、皮膚粘膜眼症候群、多形紅斑、高血糖、糖尿病、間質性肺炎

半減期	9.4 時間

アトルバスタチンカルシウム水和物

表 歯科医院で処方される主な併用薬との相互作用

	併用薬	相互作用	方策
抗菌薬	サワシリン（アモキシシリン水和物）	特になし	○ 処方可
	ケフラール（セファクロル）	特になし	○ 処方可
	フロモックス（セフカペン ピボキシル塩酸塩水和物）	特になし	○ 処方可
	メイアクトMS（セフジトレン ピボキシル）	特になし	○ 処方可
	クラリシッド、クラリス（クラリスロマイシン）	本剤の血中濃度の有意な上昇、またこれに伴う横紋筋融解症の報告――クラリスロマイシンによる代謝阻害	慎重を要する
	ジスロマック（アジスロマイシン水和物）	特になし	○ 処方可
	クラビット（レボフロキサシン水和物）	特になし	○ 処方可
抗炎症薬および鎮痛薬	カロナール（アセトアミノフェン）	特になし	○ 処方可
	SG（イソプロピルアンチピリン、アセトアミノフェン、アリルイソプロピルアセチル尿素、無水カフェイン）	特になし	○ 処方可
	ロキソニン（ロキソプロフェンナトリウム水和物）	特になし	○ 処方可
	ボルタレン（ジクロフェナクナトリウム）	特になし	○ 処方可
抗真菌薬または抗ウイルス薬	フロリード（ミコナゾール）	本剤の血中濃度上昇の可能性――ミコナゾールによる代謝阻害	慎重を要する
	イトリゾール（イトラコナゾール）	急激な腎機能悪化を伴う横紋筋融解症が現れやすいとの報告――アゾール系抗真菌薬による代謝阻害が示唆されている	慎重を要する
	バルトレックス（バラシクロビル塩酸塩）	特になし	○ 処方可
	ゾビラックス（アシクロビル）	特になし	○ 処方可
局所麻酔薬	エピリド、オーラ、キシロカイン（アドレナリン含有リドカイン塩酸塩）	特になし	○ 処方可
	シタネスト - オクタプレシン（プロピトカイン塩酸塩・フェリプレシン）	特になし	○ 処方可
胃粘膜保護薬	ムコスタ（レバミピド）	特になし	○ 処方可

……処方可　　……慎重を要する　　……減量、休薬など　　……併用禁忌／原則禁忌

One Point　クラリスロマイシン、アゾール系抗真菌薬との併用に注意

　本剤は主に酵素CYP3A4によって代謝される。この酵素を阻害する薬を併用すると、本剤の代謝が阻害されて血中濃度が上昇する可能性がある。グレープフルーツジュースによる血中濃度上昇の報告もあり、併用注意として添付文書に記載されている。
　スタチン系薬投与時の横紋筋融解症については、特に腎機能障害の患者で注意する必要がある。

脂質異常症治療薬

イコサペント酸エチル
Ethyl Icosapentate

イコサペント酸エチルはEPA（イコサペント酸）が有効成分である。イワシやサバなど青魚に含まれる不飽和脂肪酸と同じ成分である。総コレステロールおよびトリグリセリドの低下作用をもつため、脂質異常症効果を発揮する。

エパデール

エパデールS

後 **イコサペント酸エチル**
「杏林」「サワイ」「トーワ」「日医工」「日本臓器」「フソー」「CH」「Hp」「JG」「TBP」「YD」

後 **イコサペント酸エチル「MJT」**

後 **イコサペント酸エチル粒状**
「杏林」「サワイ」「日医工」「日本臓器」「TC」「TCK」

効能・効果	❶閉塞性動脈硬化症に伴う潰瘍、疼痛および冷感の改善 ❷高脂血症	用法・用量	❶1回600mgを1日3回、毎食直後に経口投与する。なお、年齢、症状により適宜増減する ❷1回900mgを1日2回または1回600mgを1日3回、食直後に経口投与する。ただし、トリグリセリドの異常を呈する場合には、その程度により、1回900mg、1日3回まで増量できる
禁忌	出血している患者（血友病、毛細血管脆弱症、消化管潰瘍、尿路出血、喀血、硝子体出血等）	副作用	重大な副作用：肝機能障害、黄疸
半減期	65時間		

表　歯科医院で処方される主な併用薬との相互作用

併用薬	相互作用	方策
抗菌薬		
サワシリン（アモキシシリン水和物）	特になし	○ 処方可
ケフラール（セファクロル）	特になし	○ 処方可
フロモックス（セフカペン ピボキシル塩酸塩水和物）	特になし	○ 処方可
メイアクトMS（セフジトレン ピボキシル）	特になし	○ 処方可
クラリシッド、クラリス（クラリスロマイシン）	特になし	○ 処方可
ジスロマック（アジスロマイシン水和物）	特になし	○ 処方可
クラビット（レボフロキサシン水和物）	特になし	○ 処方可
抗炎症薬および鎮痛薬		
カロナール（アセトアミノフェン）	特になし	○ 処方可
SG（イソプロピルアンチピリン、アセトアミノフェン、アリルイソプロピルアセチル尿素、無水カフェイン）	特になし	○ 処方可
ロキソニン（ロキソプロフェンナトリウム水和物）	特になし	○ 処方可
ボルタレン（ジクロフェナクナトリウム）	特になし	○ 処方可
抗真菌薬または抗ウイルス薬		
フロリード（ミコナゾール）	特になし	○ 処方可
イトリゾール（イトラコナゾール）	特になし	○ 処方可
バルトレックス（バラシクロビル塩酸塩）	特になし	○ 処方可
ゾビラックス（アシクロビル）	特になし	○ 処方可
局所麻酔薬		
エピリド、オーラ、キシロカイン（アドレナリン含有リドカイン塩酸塩）	特になし	○ 処方可
シタネスト-オクタプレシン（プロピトカイン塩酸塩・フェリプレシン）	特になし	○ 処方可
胃粘膜保護薬		
ムコスタ（レバミピド）	特になし	○ 処方可

……処方可　……慎重を要する　……減量、休薬など　……併用禁忌／原則禁忌

One Point　脂質代謝改善作用と抗血小板作用を併せ持つ

　脂質代謝改善作用と抗血小板作用を併せ持ち、本邦で実際の大規模臨床試験でも心筋梗塞など心臓病を防ぐ効果が認められている。このため、高脂血症（とくに高トリグリセライド血症）を合併する閉塞性動脈硬化症などに処方される。出血を伴う疾患で血友病、消化管出血、尿路出血、喀血、眼底出血などには投薬できない。

脂質異常症治療薬

エゼチミブ
Ezetimibe

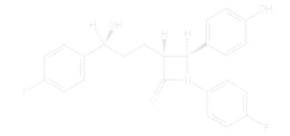

> 小腸からは食物と胆汁からのコレステロールの吸収が行われるが、本剤はこれを選択的に阻害する（小腸コレステロールトランスポーター阻害薬）。これにより肝臓のコレステロールが減って、血中から肝臓へのLDLコレステロールの取り込みが増加し、血中のLDLコレステロールが減少する。

ゼチーア

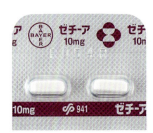

後 エゼチミブ
「アメル」「杏林」「ケミファ」「サワイ」「サンド」「武田テバ」「トーワ」「日医工」「日新」「ニプロ」「フェルゼン」「明治」「JG」「KMP」「KN」「TCK」「TE」「YD」

効能・効果	高コレステロール血症、家族性高コレステロール血症、ホモ接合体性シトステロール血症	用法・用量	10mgを1日1回（食後）、年齢、症状により適宜増減
禁忌	本剤の成分に対し過敏症の既往歴のある患者、本剤とHMG-CoA還元酵素阻害薬を併用する場合での重篤な肝機能障害の患者	副作用	重大な副作用：過敏症、アナフィラキシー、横紋筋融解症、肝機能障害

半減期	およそ22時間

表 歯科医院で処方される主な併用薬との相互作用

	併用薬	相互作用	方策
抗菌薬	サワシリン（アモキシシリン水和物）	特になし	○ 処方可
	ケフラール（セファクロル）	特になし	○ 処方可
	フロモックス（セフカペン ピボキシル塩酸塩水和物）	特になし	○ 処方可
	メイアクトMS（セフジトレン ピボキシル）	特になし	○ 処方可
	クラリシッド、クラリス（クラリスロマイシン）	特になし	○ 処方可
	ジスロマック（アジスロマイシン水和物）	特になし	○ 処方可
	クラビット（レボフロキサシン水和物）	特になし	○ 処方可
抗炎症薬および鎮痛薬	カロナール（アセトアミノフェン）	特になし	○ 処方可
	SG（イソプロピルアンチピリン、アセトアミノフェン、アリルイソプロピルアセチル尿素、無水カフェイン）	特になし	○ 処方可
	ロキソニン（ロキソプロフェンナトリウム水和物）	特になし	○ 処方可
	ボルタレン（ジクロフェナクナトリウム）	特になし	○ 処方可
抗真菌薬または抗ウイルス薬	フロリード（ミコナゾール）	特になし	○ 処方可
	イトリゾール（イトラコナゾール）	特になし	○ 処方可
	バルトレックス（バラシクロビル塩酸塩）	特になし	○ 処方可
	ゾビラックス（アシクロビル）	特になし	○ 処方可
局所麻酔薬	エピリド、オーラ、キシロカイン（アドレナリン含有リドカイン塩酸塩）	特になし	○ 処方可
	シタネスト-オクタプレシン（プロピトカイン塩酸塩・フェリプレシン）	特になし	○ 処方可
胃粘膜保護薬	ムコスタ（レバミピド）	特になし	○ 処方可

……処方可　……慎重を要する　……減量、休薬など　……併用禁忌／原則禁忌

One Point　CYPの関与する代謝を受けない薬

　主な副作用は、便秘、発疹、下痢、腹痛、腹部膨満感、悪心・嘔吐である（先発品添付文書より）。現時点では、本剤と歯科で処方される薬剤との相互作用について添付文書に記載はない。

　本剤はチトクロムP450（CYP）が関与する代謝を受けない。

脂質異常症治療薬

オメガ-3脂肪酸エチル

Omega-3-Acid ethyl esters

> オメガ-3脂肪酸エチルは肝臓からのトリグリセライド分泌を抑制し、さらに血中からのトリグリセライド消失を促進することによりトリグリセライドを低下させる。

ロトリガ

効能・効果	高脂血症	用法・用量	通常、成人にはオメガ-3脂肪酸エチルとして1回2gを1日1回、食直後に経口投与する。ただし、トリグリセライド高値の程度により1回2g、1日2回まで増量できる
禁忌	出血している患者（血友病、毛細血管脆弱症、消化管潰瘍、尿路出血、喀血、硝子体出血等）、本剤の成分に対して過敏症の既往歴のある患者	副作用	重大な副作用：AST（GOT）、ALT（GPT）、AL-P、γ-GTP、LDH、ビリルビン等の上昇を伴う肝機能障害、黄疸（頻度不明）があらわれることがあるので、観察を十分に行い、異常が認められた場合には直ちに投与を中止し、適切な処置を行うこと
半減期	ロトリガ粒状カプセルは、ヒトでの血中半減期を検討していない		

オメガ-3脂肪酸エチル

表 歯科医院で処方される主な併用薬との相互作用

併用薬	相互作用	方策
抗菌薬 サワシリン（アモキシシリン水和物）	特になし	○ 処方可
ケフラール（セファクロル）	特になし	○ 処方可
フロモックス（セフカペン ピボキシル塩酸塩水和物）	特になし	○ 処方可
メイアクトMS（セフジトレン ピボキシル）	特になし	○ 処方可
クラリシッド、クラリス（クラリスロマイシン）	特になし	○ 処方可
ジスロマック（アジスロマイシン水和物）	特になし	○ 処方可
クラビット（レボフロキサシン水和物）	特になし	○ 処方可
抗炎症薬および鎮痛薬 カロナール（アセトアミノフェン）	特になし	○ 処方可
SG（イソプロピルアンチピリン、アセトアミノフェン、アリルイソプロピルアセチル尿素、無水カフェイン）	特になし	○ 処方可
ロキソニン（ロキソプロフェンナトリウム水和物）	特になし	○ 処方可
ボルタレン（ジクロフェナクナトリウム）	特になし	○ 処方可
抗真菌薬または抗ウイルス薬 フロリード（ミコナゾール）	特になし	○ 処方可
イトリゾール（イトラコナゾール）	特になし	○ 処方可
バルトレックス（バラシクロビル塩酸塩）	特になし	○ 処方可
ゾビラックス（アシクロビル）	特になし	○ 処方可
局所麻酔薬 エピリド、オーラ、キシロカイン（アドレナリン含有リドカイン塩酸塩）	特になし	○ 処方可
シタネスト-オクタプレシン（プロピトカイン塩酸塩・フェリプレシン）	特になし	○ 処方可
胃粘膜保護薬 ムコスタ（レバミピド）	特になし	○ 処方可

……処方可　……慎重を要する　……減量、休薬など　……併用禁忌／原則禁忌

One Point 中性脂肪低下作用をもつ高脂血症治療薬

　本剤は、肝臓でのTG合成を抑制したり、血中でのTG代謝を促進することでTGを低下させる薬剤。使用上の注意として、出血している患者に対しては禁忌であることに注意が必要である。頻度は不明だが味覚障害の副作用もある。

脂質異常症治療薬

プラバスタチンナトリウム
Pravastatin Sodium

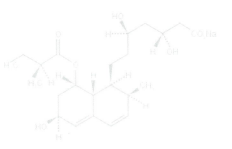

HMG-CoA還元酵素阻害薬のひとつ（スタンダードスタチン）。本剤は水溶性で主に腎臓から排泄されるため、肝代謝に関連する薬物相互作用は起きにくい。スタチンはコレステロールの合成が亢進する夜間の服用が効果的とされる。

メバロチン

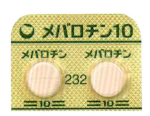

後 プラバスタチン Na
「アメル」「オーハラ」「杏林」「ケミファ」「サワイ」「チョーセイ」「テバ」「トーワ」「フソー」「CMX」「KN」「Me」「MED」「NS」「TCK」「YD」

後 プラバスタチン Na 塩
「タナベ」

後 プラバスタチンナトリウム
「ツルハラ」「日医工」「ファイザー」「NikP」「NP」

後 メバレクト

効能・効果	高脂血症、家族性高コレステロール血症	用法・用量	10mgを1日1回ないし2分服、重症の場合1日20mgまで増量可、年齢、症状により適宜増減
禁忌	本剤の成分に対し過敏症の既往歴のある患者、妊婦または妊娠の可能性のある者	副作用	重大な副作用：横紋筋融解症、肝機能障害、血小板減少、間質性肺炎、ミオパチー、免疫介在性壊死性ミオパチー、末梢神経障害、過敏症状

半減期 2.7時間

プラバスタチンナトリウム

表 歯科医院で処方される主な併用薬との相互作用

	併用薬	相互作用	方策
抗菌薬	サワシリン（アモキシシリン水和物）	特になし	〇 処方可
	ケフラール（セファクロル）	特になし	〇 処方可
	フロモックス（セフカペン ピボキシル塩酸塩水和物）	特になし	〇 処方可
	メイアクトMS（セフジトレン ピボキシル）	特になし	〇 処方可
	クラリシッド、クラリス（クラリスロマイシン）	特になし	〇 処方可
	ジスロマック（アジスロマイシン水和物）	特になし	〇 処方可
	クラビット（レボフロキサシン水和物）	特になし	〇 処方可
抗炎症薬および鎮痛薬	カロナール（アセトアミノフェン）	特になし	〇 処方可
	SG（イソプロピルアンチピリン、アセトアミノフェン、アリルイソプロピルアセチル尿素、無水カフェイン）	特になし	〇 処方可
	ロキソニン（ロキソプロフェンナトリウム水和物）	特になし	〇 処方可
	ボルタレン（ジクロフェナクナトリウム）	特になし	〇 処方可
抗真菌薬または抗ウイルス薬	フロリード（ミコナゾール）	特になし	〇 処方可
	イトリゾール（イトラコナゾール）	特になし	〇 処方可
	バルトレックス（バラシクロビル塩酸塩）	特になし	〇 処方可
	ゾビラックス（アシクロビル）	特になし	〇 処方可
局所麻酔薬	エピリド、オーラ、キシロカイン（アドレナリン含有リドカイン塩酸塩）	特になし	〇 処方可
	シタネスト-オクタプレシン（プロピトカイン塩酸塩・フェリプレシン）	特になし	〇 処方可
胃粘膜保護薬	ムコスタ（レバミピド）	特になし	〇 処方可

……処方可　……慎重を要する　……減量、休薬など　……併用禁忌／原則禁忌

One Point　CYP3A4で代謝を受けない

　本剤の代謝は、イトラコナゾールなどのCYP3A4を阻害する薬剤との併用による有意な影響を受けないとされている。稀な副作用として舌尖などの口内炎や味覚異常などがある。

脂質異常症治療薬

ベザフィブラート
Bezafibrate

> 第二世代のフィブラート系薬。核内受容体（PPAR-α）に作用し、リポタンパクを分解する酵素を活性化する。トリグリセライド（中性脂肪）が高いタイプの脂質異常症（高トリグリセライド血症）がターゲットになる。PPAR-αの選択性は低いものの、本剤には糖代謝の改善効果なども確認されている。

ベザトールSR

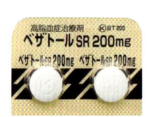

- 後 **ベザフィブラートSR**
「サワイ」「日医工」
- 後 **ベザフィブラート徐放**
「武田テバ」「トーワ」「AFP」「JG」「ZE」
- 後 **ミデナールL**

効能・効果	（家族性を含む）高脂血症	**用法・用量**	1日400mgを2分服（朝夕食後）、腎機能障害患者および高齢者では適宜減量
禁忌	人工透析患者、腎不全などの重篤な腎疾患、血清クレアチニン値2.0mg/dL以上、本剤の成分に対し過敏症の既往歴のある患者、妊婦または妊娠の可能性のある者	**副作用**	重大な副作用：横紋筋融解症、アナフィラキシー、肝機能障害、黄疸、皮膚粘膜眼症候群、多形紅斑

| **半減期** | 200mgでおよそ3時間 |

ベザフィブラート

表 歯科医院で処方される主な併用薬との相互作用

併用薬		相互作用	方策
抗菌薬	サワシリン（アモキシシリン水和物）	特になし	◯ 処方可
	ケフラール（セファクロル）	特になし	◯ 処方可
	フロモックス（セフカペン ピボキシル塩酸塩水和物）	特になし	◯ 処方可
	メイアクトMS（セフジトレン ピボキシル）	特になし	◯ 処方可
	クラリシッド、クラリス（クラリスロマイシン）	特になし	◯ 処方可
	ジスロマック（アジスロマイシン水和物）	特になし	◯ 処方可
	クラビット（レボフロキサシン水和物）	特になし	◯ 処方可
抗炎症薬および鎮痛薬	カロナール（アセトアミノフェン）	特になし	◯ 処方可
	SG（イソプロピルアンチピリン、アセトアミノフェン、アリルイソプロピルアセチル尿素、無水カフェイン）	特になし	◯ 処方可
	ロキソニン（ロキソプロフェンナトリウム水和物）	特になし	◯ 処方可
	ボルタレン（ジクロフェナクナトリウム）	特になし	◯ 処方可
抗真菌薬または抗ウイルス薬	フロリード（ミコナゾール）	特になし	◯ 処方可
	イトリゾール（イトラコナゾール）	特になし	◯ 処方可
	バルトレックス（バラシクロビル塩酸塩）	特になし	◯ 処方可
	ゾビラックス（アシクロビル）	特になし	◯ 処方可
局所麻酔薬	エピリド、オーラ、キシロカイン（アドレナリン含有リドカイン塩酸塩）	特になし	◯ 処方可
	シタネスト - オクタプレシン（プロピトカイン塩酸塩・フェリプレシン）	特になし	◯ 処方可
胃粘膜保護薬	ムコスタ（レバミピド）	特になし	◯ 処方可

……処方可　……慎重を要する　……減量、休薬など　……併用禁忌／原則禁忌

One Point フィブラート系薬はトリグリセライドを下げる

　本剤はトリグリセライドを下げ、HDLコレステロールを増やす効果を持つ。

　トリグリセライドが高い腎機能の臨床検査値に異常が認められる患者に対するスタチンとフィブラートの併用については、「原則禁忌」を解除し、「重要な基本的注意」とする添付文書改訂の指示が2018年10月に厚生労働省より通知された。

脂質異常症治療薬

ロスバスタチンカルシウム

Rosuvastatin Calcium

HMG-CoA還元酵素阻害薬のひとつ（ストロングスタチン）。LDLコレステロール値低下の作用が強い。本剤はシトクロムP450（CYP）でほとんど代謝されず、関連する薬剤との相互作用は起きにくい。

クレストール

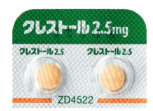

後 ロスバスタチン
「アメル」「オーハラ」「科研」「共創未来」「杏林」「ケミファ」「サワイ」「サンド」「三和」「ゼリア」「タカタ」「武田テバ」「ツルハラ」「トーワ」「日医工」「日新」「ニプロ」「ファイザー」「明治」「フェルゼン」「DSEP」「EE」「JG」「MEEK」「TCK」「YD」

効能・効果	高コレステロール血症 （一部の製品）家族性高コレステロール血症	用法・用量	1日1回、1回2.5mgから開始、早期にLDLコレステロール値低下の必要がある場合5mgから開始可、年齢、症状により適宜増減 4週以降にLDLコレステロール値低下不十分の場合1日10mgまで漸増可、なお不十分な例や家族性高コレステロール血症患者に限り1日20mgまで増量可
禁忌	本剤の成分に対し過敏症の既往歴のある患者、急性肝炎、慢性肝炎の急性増悪、肝硬変、肝臓癌、黄疸のような肝機能の低下が考えられる患者、妊婦または妊娠の可能性、授乳中、シクロスポリン投与中の患者	副作用	重大な副作用：横紋筋融解症、ミオパチー、免疫介在性壊死性ミオパチー、肝炎、肝機能障害、黄疸、血小板減少、過敏症状、間質性肺炎、末梢神経障害、多形紅斑
半減期	14時間		

表 歯科医院で処方される主な併用薬との相互作用

併用薬		相互作用	方策	
抗菌薬	サワシリン（アモキシシリン水和物）	特になし	○	処方可
	ケフラール（セファクロル）	特になし	○	処方可
	フロモックス（セフカペン ピボキシル塩酸塩水和物）	特になし	○	処方可
	メイアクトMS（セフジトレン ピボキシル）	特になし	○	処方可
	クラリシッド、クラリス（クラリスロマイシン）	マクロライド系抗生物質は一般にHMG-CoA還元酵素阻害薬との併用で急激な腎機能悪化を伴う横紋筋融解症が現れやすい		慎重を要する
	ジスロマック（アジスロマイシン水和物）	マクロライド系抗生物質は一般にHMG-CoA還元酵素阻害薬との併用で急激な腎機能悪化を伴う横紋筋融解症が現れやすい		慎重を要する
	クラビット（レボフロキサシン水和物）	特になし	○	処方可
抗炎症薬および鎮痛薬	カロナール（アセトアミノフェン）	特になし	○	処方可
	SG（イソプロピルアンチピリン、アセトアミノフェン、アリルイソプロピルアセチル尿素、無水カフェイン）	特になし	○	処方可
	ロキソニン（ロキソプロフェンナトリウム水和物）	特になし	○	処方可
	ボルタレン（ジクロフェナクナトリウム）	特になし	○	処方可
抗真菌薬または抗ウイルス薬	フロリード（ミコナゾール）	アゾール系抗真菌薬は一般にHMG-CoA還元酵素阻害薬との併用で急激な腎機能悪化を伴う横紋筋融解症が現れやすい		慎重を要する
	イトリゾール（イトラコナゾール）	アゾール系抗真菌薬は一般にHMG-CoA還元酵素阻害薬との併用で急激な腎機能悪化を伴う横紋筋融解症が現れやすい		慎重を要する
	バルトレックス（バラシクロビル塩酸塩）	特になし	○	処方可
	ゾビラックス（アシクロビル）	特になし	○	処方可
局所麻酔薬	エピリド、オーラ、キシロカイン（アドレナリン含有リドカイン塩酸塩）	特になし	○	処方可
	シタネスト-オクタプレシン（プロピトカイン塩酸塩・フェリプレシン）	特になし	○	処方可
胃粘膜保護薬	ムコスタ（レバミピド）	特になし	○	処方可

……処方可　……慎重を要する　……減量、休薬など　……併用禁忌／原則禁忌

One Point　CYPが関わる薬物相互作用を起こしにくい薬

　本剤は水溶性のスタチンである。本剤の代謝には酵素CYP2C9、CYP2C19が関与しているが、体内からの消失における代謝の寄与は大きくないとされ、CYPの関わる薬物相互作用は少ないと考えられる。ケトコナゾール、イトラコナゾール、エリスロマイシンとの併用試験において、明らかな相互作用は認められなかったとされる（本剤添付文書より）。

歯科診療所における
WITHコロナ時代の"感染制御"の入門書

歯科医療従事者のための
感染制御入門

2019年末に発生した新型コロナは、私たちの生活様式を激変させました。それは歯科医療においても例外でなく、患者やスタッフに配慮したさまざまな感染対策が講じられ、感染制御について改めて考え直す機会となりました。その一方で、感染制御で扱う範囲は広大で、正しい知識を習得することは極めて困難です。本書を歯科診療所における感染制御の基本を学ぶための「最初の一冊」として活用いただければ幸いです。

監著 渥美克幸
埼玉県川口市開業：デンタルクリニックK
JAOS認定　第一種歯科感染管理者

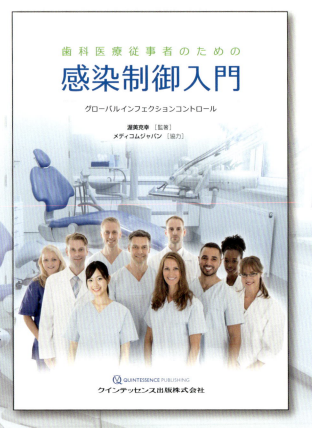

豊富な写真やイラストで感染制御の全体像が理解できる

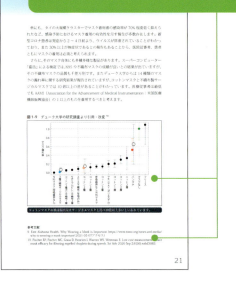

新型コロナの最新エビデンスに基づく正確な情報を網羅

QUINTESSENCE PUBLISHING 日本

● サイズ：B5判　● 144ページ　● 定価7,260円（本体6,600円＋税10%）

クインテッセンス出版株式会社
〒113-0033　東京都文京区本郷3丁目2番6号　クイントハウスビル
TEL 03-5842-2272（営業）　FAX 03-5800-7592　https://www.quint-j.co.jp　e-mail mb@quint-j.co.jp

精神神経疾患治療薬
（抗精神病薬／抗うつ薬／抗不安薬／睡眠薬）

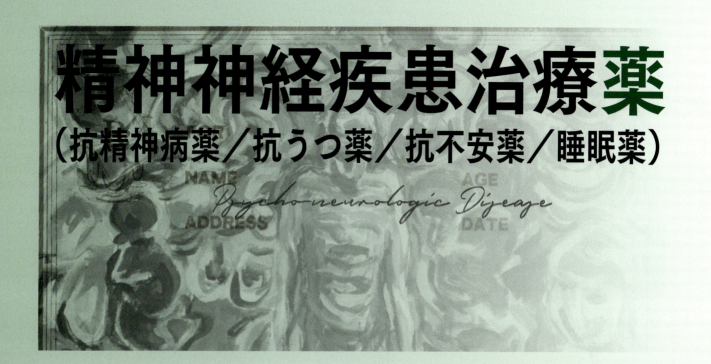

併用禁忌の記載がある掲載薬の一覧

▼投与薬について抽出し、歯科で処方される薬を含むものを赤背景とし、かつ歯科で使われる薬を赤字で示す。

一般名		添付文書の［禁忌］における記載内容
アルプラゾラム	→ p.142	HIVプロテアーゼ阻害剤（インジナビル等）を投与中の患者
エスシタロプラムシュウ酸塩	→ p.144	モノアミン酸化酵素（MAO）阻害剤（セレギリン塩酸塩、ラサギリンメシル酸塩、サフィナミドメシル酸塩）を投与中あるいは投与中止後14日間以内の患者 ピモジドを投与中の患者
エスゾピクロン	→ p.146	特になし
エチゾラム	→ p.148	特になし
クロチアゼパム	→ p.150	特になし
スボレキサント → p.152		CYP3Aを強く阻害する薬剤（イトラコナゾール、クラリスロマイシン、リトナビル、ネルフィナビル、ボリコナゾール）を投与中の患者
スルピリド	→ p.154	特になし
ゾルピデム酒石酸塩	→ p.156	特になし
デュロキセチン塩酸塩	→ p.158	モノアミン酸化酵素（MAO）阻害剤を投与中あるいは投与中止後2週間以内の患者
パロキセチン塩酸塩水和物	→ p.160	MAO阻害剤を投与中あるいは投与中止後2週間以内の患者／ピモジドを投与中の患者
ブロチゾラム	→ p.162	特になし
ラメルテオン	→ p.164	フルボキサミンマレイン酸塩を投与中の患者
ロラゼパム	→ p.166	特になし

精神神経疾患治療薬（抗不安薬）

アルプラゾラム
Alprazolam

> ベンゾジアゼピン系抗不安薬のひとつ。抑制性の神経伝達物質であるγ-アミノ酪酸（GABA）の受容体のベンゾジアゼピン結合部位を介してGABAの作用を増強し、中枢神経系の活動を抑制する。本剤は抗不安作用が強く、一方で筋緊張を和らげる効果は比較的弱いとされている。

コンスタン

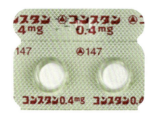

後 アルプラゾラム
「アメル」「サワイ」「トーワ」

ソラナックス

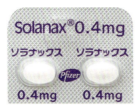

効能・効果	心身症（胃・十二指腸潰瘍、過敏性腸症候群、自律神経失調症）における身体症候と不安・緊張・抑うつ・睡眠障害	用法・用量	1日1.2mgを3分服、増量の場合は1日2.4mgを上限として漸増のうえ3〜4分服、年齢、症状により適宜増減 高齢者では1日1〜2回、0.4mgから開始し1日1.2mgを上限とする
禁忌	本剤の成分に対し過敏症の既往歴のある患者、急性閉塞隅角緑内障、重症筋無力症、HIVプロテアーゼ阻害薬投与中の患者	副作用	重大な副作用：依存性、離脱症状、刺激興奮、錯乱、呼吸抑制、アナフィラキシー、肝機能障害、黄疸
半減期	およそ14時間		

142　　別冊 the Quintessence

アルプラゾラム

表　歯科医院で処方される主な併用薬との相互作用

併用薬	相互作用	方策
抗菌薬 サワシリン（アモキシシリン水和物）	特になし	処方可
ケフラール（セファクロル）	特になし	処方可
フロモックス（セフカペン ピボキシル塩酸塩水和物）	特になし	処方可
メイアクトMS（セフジトレン ピボキシル）	特になし	処方可
クラリシッド、クラリス（クラリスロマイシン）	特になし	処方可
ジスロマック（アジスロマイシン水和物）	特になし	処方可
クラビット（レボフロキサシン水和物）	特になし	処方可
抗炎症薬および鎮痛薬 カロナール（アセトアミノフェン）	特になし	処方可
SG（イソプロピルアンチピリン、アセトアミノフェン、アリルイソプロピルアセチル尿素、無水カフェイン）	特になし	処方可
ロキソニン（ロキソプロフェンナトリウム水和物）	特になし	処方可
ボルタレン（ジクロフェナクナトリウム）	特になし	処方可
抗真菌薬または抗ウイルス薬 フロリード（ミコナゾール）	特になし	処方可
イトリゾール（イトラコナゾール）	本剤の血中濃度上昇、中枢神経抑制作用増強の可能性——イトラコナゾールによる代謝阻害	慎重を要する
バルトレックス（バラシクロビル塩酸塩）	特になし	処方可
ゾビラックス（アシクロビル）	特になし	処方可
局所麻酔薬 エピリド、オーラ、キシロカイン（アドレナリン含有リドカイン塩酸塩）	特になし	処方可
シタネスト-オクタプレシン（プロピトカイン塩酸塩・フェリプレシン）	特になし	処方可
胃粘膜保護薬 ムコスタ（レバミピド）	特になし	処方可

……処方可　……慎重を要する　……減量、休薬など　……併用禁忌／原則禁忌

One Point　短時間作用型の抗不安薬

　本剤は不安とパニック発作に対する効果があるとされ、一般に不安障害、パニック障害、化学療法における吐き気に対し使用される。米国食品医薬品局（FDA）は、本剤の効果を定期的に再評価すべきとしている。パニック障害に対しては選択的セロトニン再取り込み阻害薬（SSRI）が登場している。また、本剤を含む狭義の精神神経疾患治療薬の持込みが制限されている国がある。

精神神経疾患治療薬（抗うつ薬）

Escitalopram oxalate

エスシタロプラムシュウ酸塩

脳内に存在するセロトニンの再取り込みを選択的に阻害し、セロトニン濃度を上昇させ、神経伝達をスムーズにし、憂うつな気分を和らげ、不安などの症状を改善する。通常、うつ病・うつ状態、社会不安障害の治療に用いられる。

レクサプロ

効能・効果	うつ病・うつ状態、社会不安障害	用法・用量	10mgを1日1回夕食後に経口投与
禁忌	本剤の成分に対し過敏症の既往歴のある患者、モノアミン酸化酵素（MAO）阻害剤（セレギリン塩酸塩、ラサギリンメシル酸塩、サフィナミドメシル酸塩）を投与中あるいは投与中止後14日間以内の患者、ピモジドを投与中の患者、QT延長のある患者（先天性QT延長症候群等）	副作用	重大な副作用：痙攣、抗利尿ホルモン不適合分泌症候群（SIADH）、セロトニン症候群、QT延長、心室頻拍（torsades de pointes を含む）

半減期	28時間

エスシタロプラムシュウ酸塩

表 歯科医院で処方される主な併用薬との相互作用

併用薬		相互作用	方策
抗菌薬	サワシリン（アモキシシリン水和物）	特になし	○ 処方可
	ケフラール（セファクロル）	特になし	○ 処方可
	フロモックス（セフカペン ピボキシル塩酸塩水和物）	特になし	○ 処方可
	メイアクトMS（セフジトレン ピボキシル）	特になし	○ 処方可
	クラリシッド、クラリス（クラリスロマイシン）	特になし	○ 処方可
	ジスロマック（アジスロマイシン水和物）	特になし	○ 処方可
	クラビット（レボフロキサシン水和物）	特になし	○ 処方可
抗炎症薬および鎮痛薬	カロナール（アセトアミノフェン）	特になし	○ 処方可
	SG（イソプロピルアンチピリン、アセトアミノフェン、アリルイソプロピルアセチル尿素、無水カフェイン）	特になし	○ 処方可
	ロキソニン（ロキソプロフェンナトリウム水和物）	NSAIDSとの併用により、出血傾向が増強することがある	慎重を要する
	ボルタレン（ジクロフェナクナトリウム）	NSAIDSとの併用により、出血傾向が増強することがある	慎重を要する
抗真菌薬または抗ウイルス薬	フロリード（ミコナゾール）	特になし	○ 処方可
	イトリゾール（イトラコナゾール）	特になし	○ 処方可
	バルトレックス（バラシクロビル塩酸塩）	特になし	○ 処方可
	ゾビラックス（アシクロビル）	特になし	○ 処方可
局所麻酔薬	エピリド、オーラ、キシロカイン（アドレナリン含有リドカイン塩酸塩）	特になし	○ 処方可
	シタネスト-オクタプレシン（プロピトカイン塩酸塩・フェリプレシン）	特になし	○ 処方可
胃粘膜保護薬	ムコスタ（レバミピド）	特になし	○ 処方可

……処方可　……慎重を要する　……減量、休薬など　……併用禁忌／原則禁忌

One Point　本剤の増量には1週間以上間隔を空け、1日20mgを超えない

　本剤の用法および用量に関連する注意として投与量は必要最小限となるよう、患者ごとに慎重に観察しながらの投与が必要である。不安、焦燥性興奮、パニック発作、敵意、攻撃性、衝動性などが現れることがあるので、歯科治療には十分な注意を要する。

精神神経疾患治療薬（睡眠薬）

エスゾピクロン

Eszopiclone

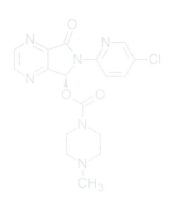

ラセミ体であるゾピクロンの一方のエナンチオマー（(S)-エナンチオマー）であり、ゾピクロンの薬理活性の大部分を有する製剤である。エスゾピクロンは中枢神経系のGABAA受容体複合体のベンゾジアゼピン結合部位に結合し、GABAによる塩化物イオンの神経細胞内への流入を促進することにより、GABAの作用を増強するものと考えられる。

ルネスタ

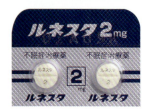

効能・効果	不眠症	用法・用量	1回2mgを、高齢者には1回1mgを就寝前に経口投与
禁忌	本剤の成分またはゾピクロンに対し過敏症の既往歴のある患者、重症筋無力症の患者、急性閉塞隅角緑内障の患者	副作用	重大な副作用：ショック、アナフィラキシー、依存性、呼吸抑制、肝機能障害、精神症状、意識障害、一過性前向性健忘、もうろう状態

| 半減期 | 5.1時間 |

エスゾピクロン

表　歯科医院で処方される主な併用薬との相互作用

併用薬		相互作用	方策
抗菌薬	サワシリン（アモキシシリン水和物）	特になし	○ 処方可
	ケフラール（セファクロル）	特になし	○ 処方可
	フロモックス（セフカペン ピボキシル塩酸塩水和物）	特になし	○ 処方可
	メイアクトMS（セフジトレン ピボキシル）	特になし	○ 処方可
	クラリシッド、クラリス（クラリスロマイシン）	特になし	○ 処方可
	ジスロマック（アジスロマイシン水和物）	特になし	○ 処方可
	クラビット（レボフロキサシン水和物）	特になし	○ 処方可
抗炎症薬および鎮痛薬	カロナール（アセトアミノフェン）	特になし	○ 処方可
	SG（イソプロピルアンチピリン、アセトアミノフェン、アリルイソプロピルアセチル尿素、無水カフェイン）	特になし	○ 処方可
	ロキソニン（ロキソプロフェンナトリウム水和物）	特になし	○ 処方可
	ボルタレン（ジクロフェナクナトリウム）	特になし	○ 処方可
抗真菌薬または抗ウイルス薬	フロリード（ミコナゾール）	特になし	慎重を要する
	イトリゾール（イトラコナゾール）	本剤の代謝を阻害し、作用を増強させる	慎重を要する
	バルトレックス（バラシクロビル塩酸塩）	特になし	○ 処方可
	ゾビラックス（アシクロビル）	特になし	○ 処方可
局所麻酔薬	エピリド、オーラ、キシロカイン（アドレナリン含有リドカイン塩酸塩）	特になし	○ 処方可
	シタネスト-オクタプレシン（プロピトカイン塩酸塩・フェリプレシン）	特になし	○ 処方可
胃粘膜保護薬	ムコスタ（レバミピド）	特になし	○ 処方可

……処方可　……慎重を要する　……減量、休薬など　……併用禁忌／原則禁忌

One Point　本剤の主な副作用は味覚異常

　不眠症治療薬で服用後にもうろう状態、夢遊症状が現れることがある。主な副作用に味覚異常（36.3％）があり、その他、口渇、口腔内不快感、口腔内乾燥があり、歯科医師として注意する必要がある。

精神神経疾患治療薬（抗不安薬）

エチゾラム
Etizolam

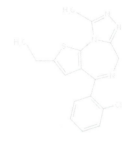

ベンゾジアゼピン系に構造および作用機序の似るチエノトリアゾロジアゼピン系抗不安薬。これらの抗不安薬は半減期によって分類されるが、本剤は短時間型に含まれる。筋緊張を和らげる効果が強く、整形外科領域の適応もある。

デパス

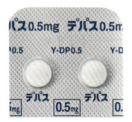

後 エチゾラム
「アメル」「オーハラ」「クニヒロ」「武田テバ」「ツルハラ」「トーワ」「日医工」「日新」「フジナガ」「EMEC」「JG」「KN」「NP」「SW」「TCK」

効能・効果	神経症における不安・緊張・抑うつ・神経衰弱症状・睡眠障害 うつ病における不安・緊張・睡眠障害 心身症における身体症候ならびに不安・緊張・抑うつ・睡眠障害 統合失調症における睡眠障害 頸椎症、腰痛症、筋収縮性頭痛における不安・緊張・抑うつおよび筋緊張	用法・用量	神経症、うつ病 1日3mgを3分服 心身症、頸椎症、腰痛症、筋収縮性頭痛 1日1.5mgを3分服 睡眠障害 1～3mgを1日1回（就寝前） いずれも年齢、症状により適宜増減、高齢者では1日1.5mgを上限とする
禁忌	急性閉塞隅角緑内障、重症筋無力症の患者	副作用	重大な副作用：依存性、呼吸抑制、炭酸ガスナルコーシス、悪性症候群、横紋筋融解症、間質性肺炎、肝機能障害、黄疸
半減期	2mgでおよそ6時間		

エチゾラム

表　歯科医院で処方される主な併用薬との相互作用

併用薬		相互作用	方策
抗菌薬	サワシリン（アモキシシリン水和物）	特になし	◯ 処方可
	ケフラール（セファクロル）	特になし	◯ 処方可
	フロモックス（セフカペン ピボキシル塩酸塩水和物）	特になし	◯ 処方可
	メイアクトMS（セフジトレン ピボキシル）	特になし	◯ 処方可
	クラリシッド、クラリス（クラリスロマイシン）	特になし	◯ 処方可
	ジスロマック（アジスロマイシン水和物）	特になし	◯ 処方可
	クラビット（レボフロキサシン水和物）	特になし	◯ 処方可
抗炎症薬および鎮痛薬	カロナール（アセトアミノフェン）	特になし	◯ 処方可
	SG（イソプロピルアンチピリン、アセトアミノフェン、アリルイソプロピルアセチル尿素、無水カフェイン）	特になし	◯ 処方可
	ロキソニン（ロキソプロフェンナトリウム水和物）	特になし	◯ 処方可
	ボルタレン（ジクロフェナクナトリウム）	特になし	◯ 処方可
抗真菌薬または抗ウイルス薬	フロリード（ミコナゾール）	特になし	◯ 処方可
	イトリゾール（イトラコナゾール）	特になし	◯ 処方可
	バルトレックス（バラシクロビル塩酸塩）	特になし	◯ 処方可
	ゾビラックス（アシクロビル）	特になし	◯ 処方可
局所麻酔薬	エピリド、オーラ、キシロカイン（アドレナリン含有リドカイン塩酸塩）	特になし	◯ 処方可
	シタネスト-オクタプレシン（プロピトカイン塩酸塩・フェリプレシン）	特になし	◯ 処方可
胃粘膜保護薬	ムコスタ（レバミピド）	特になし	◯ 処方可

……処方可　　……慎重を要する　　……減量、休薬など　　……併用禁忌／原則禁忌

One Point　ベンゾジアゼピン系薬とアルコール

　高齢者は代謝機能が低下し体内に残存しやすいため、1日の用量を1.5mgまでとする。

　精神機能、知覚・運動機能の低下が起こることがある。アルコールと同時に摂取した場合、それぞれの中枢神経抑制作用が増強する可能性があり、本剤に限らずベンゾジアゼピン系薬では注意が必要である。

精神神経疾患治療薬（抗不安薬）

クロチアゼパム
Clotiazepam

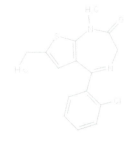

ベンゾジアゼピン系（チエノジアゼピン系）抗不安薬のひとつ。エチゾラムのような強い筋弛緩作用はないものの、すみやかに最高血中濃度に達し、効果の発現が早い。

リーゼ

後 クロチアゼパム
「サワイ」「ツルハラ」「トーワ」「日医工」

効能・効果	❶心身症における身体症候と不安・緊張・心気・抑うつ・睡眠障害 自律神経失調症におけるめまい・肩こり・食欲不振 ❷麻酔前投薬	用法・用量	❶1日15〜30mgを3分服 ❷1日10〜15mg
禁忌	急性閉塞隅角緑内障、重症筋無力症の患者	副作用	重大な副作用：依存性、肝機能障害、黄疸
半減期	およそ6時間		

150　　別冊 the Quintessence

クロチアゼパム

表 歯科医院で処方される主な併用薬との相互作用

併用薬		相互作用	方策
抗菌薬	サワシリン（アモキシシリン水和物）	特になし	○ 処方可
	ケフラール（セファクロル）	特になし	○ 処方可
	フロモックス（セフカペン ピボキシル塩酸塩水和物）	特になし	○ 処方可
	メイアクトMS（セフジトレン ピボキシル）	特になし	○ 処方可
	クラリシッド、クラリス（クラリスロマイシン）	特になし	○ 処方可
	ジスロマック（アジスロマイシン水和物）	特になし	○ 処方可
	クラビット（レボフロキサシン水和物）	特になし	○ 処方可
抗炎症薬および鎮痛薬	カロナール（アセトアミノフェン）	特になし	○ 処方可
	SG（イソプロピルアンチピリン、アセトアミノフェン、アリルイソプロピルアセチル尿素、無水カフェイン）	特になし	○ 処方可
	ロキソニン（ロキソプロフェンナトリウム水和物）	特になし	○ 処方可
	ボルタレン（ジクロフェナクナトリウム）	特になし	○ 処方可
抗真菌薬または抗ウイルス薬	フロリード（ミコナゾール）	特になし	○ 処方可
	イトリゾール（イトラコナゾール）	特になし	○ 処方可
	バルトレックス（バラシクロビル塩酸塩）	特になし	○ 処方可
	ゾビラックス（アシクロビル）	特になし	○ 処方可
局所麻酔薬	エピリド、オーラ、キシロカイン（アドレナリン含有リドカイン塩酸塩）	特になし	○ 処方可
	シタネスト－オクタプレシン（プロピトカイン塩酸塩・フェリプレシン）	特になし	○ 処方可
胃粘膜保護薬	ムコスタ（レバミピド）	特になし	○ 処方可

……処方可　……慎重を要する　……減量、休薬など　……併用禁忌／原則禁忌

One Point 依存性に注意する

　本剤を含むベンゾジアゼピン系薬については国内の副作用の報告やガイドライン等に基づき依存性などの安全性の検討が行われ、承認用量の範囲内においても依存に関連する副作用が報告されていることをふまえ、厚労省より2017年3月に添付文書改訂の指示が出された。

精神神経疾患治療薬（睡眠薬）

スボレキサント

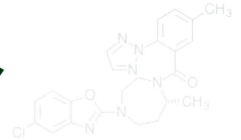

オレキシンの受容体への結合をブロックし、過剰に働いている覚醒システムを抑制することで、脳を生理的に覚醒状態から睡眠状態へ移行させ、睡眠を促す。

ベルソムラ

効能・効果	不眠症	用法・用量	１日１回20mgを、高齢者には１日１回15mgを就寝直前に経口投与
禁忌	本剤の成分に対し過敏症の既往歴のある患者、CYP3Aを強く阻害する薬剤（イトラコナゾール、クラリスロマイシン、リトナビル、ネルフィナビル、ボリコナゾール）を投与中の患者	副作用	主な副作用：傾眠、頭痛、疲労

半減期	10時間

スボレキサント

表 歯科医院で処方される主な併用薬との相互作用

併用薬	相互作用	方策
抗菌薬		
サワシリン（アモキシシリン水和物）	特になし	○ 処方可
ケフラール（セファクロル）	特になし	○ 処方可
フロモックス（セフカペン ピボキシル塩酸塩水和物）	特になし	○ 処方可
メイアクトMS（セフジトレン ピボキシル）	特になし	○ 処方可
クラリシッド、クラリス（クラリスロマイシン）	本剤の作用を著しく増強させる	× 併用禁忌
ジスロマック（アジスロマイシン水和物）	特になし	○ 処方可
クラビット（レボフロキサシン水和物）	特になし	○ 処方可
抗炎症薬および鎮痛薬		
カロナール（アセトアミノフェン）	特になし	○ 処方可
SG（イソプロピルアンチピリン、アセトアミノフェン、アリルイソプロピルアセチル尿素、無水カフェイン）	特になし	○ 処方可
ロキソニン（ロキソプロフェンナトリウム水和物）	特になし	○ 処方可
ボルタレン（ジクロフェナクナトリウム）	特になし	○ 処方可
抗真菌薬または抗ウイルス薬		
フロリード（ミコナゾール）	特になし	○ 処方可
イトリゾール（イトラコナゾール）	本剤の作用を著しく増強させる	× 併用禁忌
バルトレックス（バラシクロビル塩酸塩）	特になし	○ 処方可
ゾビラックス（アシクロビル）	特になし	○ 処方可
局所麻酔薬		
エピリド、オーラ、キシロカイン（アドレナリン含有リドカイン塩酸塩）	特になし	○ 処方可
シタネスト-オクタプレシン（プロピトカイン塩酸塩・フェリプレシン）	特になし	○ 処方可
胃粘膜保護薬		
ムコスタ（レバミピド）	特になし	○ 処方可

……処方可　……慎重を要する　……減量、休薬など　……併用禁忌／原則禁忌

One Point　CYP3A4を阻害する薬剤との併用は禁忌

　不眠症の治療薬でCYP3A4を阻害する薬剤（イトラコナゾール、クラリスロマイシン、リトナビル、ポリコナゾール）との併用は、本剤の作用を著しく増強するため、禁忌である。また、本剤の影響が服用の翌朝以後に及び、眠気、注意力などの低下が起こることがあるので、歯科治療には注意が必要だ。

精神神経疾患治療薬（抗精神病薬）

スルピリド
Sulpiride

ベンズアミド系抗精神病薬のひとつ。ドパミン受容体のうち D_2 受容体を選択的に遮断、ドパミンの作用を抑制する。低用量で抗うつ薬、高用量で抗精神病薬として使用される。D_2 受容体遮断が消化管の血流改善などにも作用しており、初めは抗潰瘍薬として開発された。CYPを介さず腎代謝される。

ドグマチール

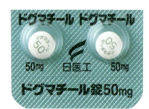

後 スルピリド
「アメル」「サワイ」「トーワ」「CH」「TCK」「TYK」

効能・効果	筋注50 胃・十二指腸潰瘍、統合失調症 筋注100 統合失調症 100mg・200mg錠 統合失調症、うつ病・うつ状態 50mg錠・カプセル・細粒 胃・十二指腸潰瘍、統合失調症、うつ病・うつ状態	用法・用量	統合失調症 カプセル・細粒・錠 1回300～600mgを分服、年齢、症状により適宜増減、1日1,200mgまで増量可 筋注 1回100～200mgを筋肉内投与、年齢、症状により適宜増減、1日600mgまで増量可 うつ病・うつ状態 カプセル・細粒・錠 1回150～300mgを分服、年齢、症状により適宜増減、1日600mgまで増量可
禁忌	本剤の成分に対し過敏症の既往歴、プロラクチン分泌性下垂体腫瘍、褐色細胞腫の疑いのある患者	副作用	重大な副作用：悪性症候群、痙攣、QT延長、心室頻拍、肝機能障害、黄疸、遅発性ジスキネジア、無顆粒球症、白血球減少、肺塞栓症、深部静脈血栓症
半減期	筋注 50/100/200mgで6.7時間、細粒 50％細粒200mgで3.0時間、錠 50/100mgで6.1時間/8.0時間		

表　歯科医院で処方される主な併用薬との相互作用

併用薬		相互作用	方策
抗菌薬	サワシリン（アモキシシリン水和物）	特になし	○ 処方可
	ケフラール（セファクロル）	特になし	○ 処方可
	フロモックス（セフカペン ピボキシル塩酸塩水和物）	特になし	○ 処方可
	メイアクトMS（セフジトレン ピボキシル）	特になし	○ 処方可
	クラリシッド、クラリス（クラリスロマイシン）	特になし	○ 処方可
	ジスロマック（アジスロマイシン水和物）	特になし	○ 処方可
	クラビット（レボフロキサシン水和物）	特になし	○ 処方可
抗炎症薬および鎮痛薬	カロナール（アセトアミノフェン）	特になし	○ 処方可
	SG（イソプロピルアンチピリン、アセトアミノフェン、アリルイソプロピルアセチル尿素、無水カフェイン）	特になし	○ 処方可
	ロキソニン（ロキソプロフェンナトリウム水和物）	特になし	○ 処方可
	ボルタレン（ジクロフェナクナトリウム）	特になし	○ 処方可
抗真菌薬または抗ウイルス薬	フロリード（ミコナゾール）	特になし	○ 処方可
	イトリゾール（イトラコナゾール）	特になし	○ 処方可
	バルトレックス（バラシクロビル塩酸塩）	特になし	○ 処方可
	ゾビラックス（アシクロビル）	特になし	○ 処方可
局所麻酔薬	エピリド、オーラ、キシロカイン（アドレナリン含有リドカイン塩酸塩）	特になし	○ 処方可
	シタネスト-オクタプレシン（プロピトカイン塩酸塩・フェリプレシン）	特になし	○ 処方可
胃粘膜保護薬	ムコスタ（レバミピド）	特になし	○ 処方可

……処方可　　……慎重を要する　　……減量、休薬など　　……併用禁忌／原則禁忌

One Point　長期投与による遅発性ジスキネジアに注意

　本剤の副作用としては前頁で挙げられたものの他に悪心、口渇などがある。また、本剤など抗精神病薬の長期投与により遅発性ジスキネジア（自分の意思と無関係に身体が動いてしまう：不随意運動）が出現する可能性がある。遅発性ジスキネジアは主として口周囲に生じ、難治性のため早期対応が重要である。

精神神経疾患治療薬（睡眠薬）

ゾルピデム酒石酸塩
Zolpidem Tartrate

> ベンゾジアゼピン系化合物ではないが、ベンゾジアゼピン結合部位に選択的に結合し、同様の作用を示す。ベンゾジアゼピン結合部位は抑制性神経伝達物質 GABAA 受容体のサブユニットに存在し、ここに結合することにより GABAA 受容体への GABA の親和性を高め、GABAA 系の神経抑制機構を増強して催眠鎮静作用を示す。

マイスリー

後 ゾルピデム酒石酸塩
「アメル」「オーハラ」「杏林」「クニヒロ」「ケミファ」「サワイ」「サンド」「タカタ」「テバ」「トーワ」「日医工」「日新」「ファイザー」「明治」「モチダ」「AA」「AFP」「DK」「DSEP」「EE」「F」「JG」「KMP」「KN」「NP」「NPI」「TCK」「YD」「ZE」

効能・効果	不眠症（統合失調症及び躁うつ病に伴う不眠症は除く）	用法・用量	1回5〜10mgを就寝直前に経口投与
禁忌	本剤の成分に対し過敏症の既往歴のある患者、重篤な肝障害のある患者、重症筋無力症の患者、急性閉塞隅角緑内障の患者	副作用	重大な副作用：依存性、離脱症状、精神症状、意識障害、一過性前向性健忘、もうろう状態、呼吸抑制、肝機能障害、黄疸

半減期	2.1時間

ゾルピデム酒石酸塩

表 歯科医院で処方される主な併用薬との相互作用

併用薬		相互作用	方策
抗菌薬	サワシリン（アモキシシリン水和物）	特になし	処方可
	ケフラール（セファクロル）	特になし	処方可
	フロモックス（セフカペン ピボキシル塩酸塩水和物）	特になし	処方可
	メイアクトMS（セフジトレン ピボキシル）	特になし	処方可
	クラリシッド、クラリス（クラリスロマイシン）	特になし	処方可
	ジスロマック（アジスロマイシン水和物）	特になし	処方可
	クラビット（レボフロキサシン水和物）	特になし	処方可
抗炎症薬および鎮痛薬	カロナール（アセトアミノフェン）	特になし	処方可
	SG（イソプロピルアンチピリン、アセトアミノフェン、アリルイソプロピルアセチル尿素、無水カフェイン）	特になし	処方可
	ロキソニン（ロキソプロフェンナトリウム水和物）	特になし	処方可
	ボルタレン（ジクロフェナクナトリウム）	特になし	処方可
抗真菌薬または抗ウイルス薬	フロリード（ミコナゾール）	特になし	処方可
	イトリゾール（イトラコナゾール）	特になし	処方可
	バルトレックス（バラシクロビル塩酸塩）	特になし	処方可
	ゾビラックス（アシクロビル）	特になし	処方可
局所麻酔薬	エピリド、オーラ、キシロカイン（アドレナリン含有リドカイン塩酸塩）	特になし	処方可
	シタネスト-オクタプレシン（プロピトカイン塩酸塩・フェリプレシン）	特になし	処方可
胃粘膜保護薬	ムコスタ（レバミピド）	特になし	処方可

……処方可　……慎重を要する　……減量、休薬など　……併用禁忌／原則禁忌

One Point　統合失調症や躁うつ病に伴う不眠症には有効性はない

　本剤は不眠症に用いられる睡眠薬であるが、その影響が翌朝以後に及び、眠気、注意力などの低下が起こることがあるので、歯科治療には注意を要する。また、重大な副作用として呼吸抑制、肝機能障害があり、極めて稀な副作用としては口の錯覚感を生じることがある。

精神神経疾患治療薬（抗うつ薬）

デュロキセチン塩酸塩
Duloxetine hydrochloride

> デュロキセチンはセロトニン及びノルアドレナリンの再取込み阻害作用により、増加したセロトニン及びノルアドレナリンが中枢神経系を機能的に変化させることにより抗うつ作用を示すと考えられている。

サインバルタ

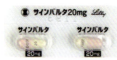

効能・効果	うつ病・うつ状態 糖尿病性神経障害に伴う疼痛	用法・用量	1日1回朝食後，デュロキセチンとして40mgを経口投与
禁忌	本剤の成分に対し過敏症の既往歴のある患者、モノアミン酸化酵素（MAO）阻害剤を投与中あるいは投与中止後2週間以内の患者、高度の肝障害のある患者、高度の腎障害のある患者、コントロール不良の閉塞隅角緑内障の患者	副作用	重大な副作用：セロトニン症候群、抗利尿ホルモン不適合分泌症候群（SIADH）、痙攣、幻覚、肝機能障害、肝炎、黄疸、皮膚粘膜眼症候群（Stevens-Johnson症候群）、アナフィラキシー反応、高血圧クリーゼ、尿閉、Syndrome malin（悪性症候群）

半減期	10.6時間

デュロキセチン塩酸塩

表　歯科医院で処方される主な併用薬との相互作用

併用薬		相互作用	方策
抗菌薬	サワシリン（アモキシシリン水和物）	特になし	◯ 処方可
	ケフラール（セファクロル）	特になし	◯ 処方可
	フロモックス（セフカペン ピボキシル塩酸塩水和物）	特になし	◯ 処方可
	メイアクトMS（セフジトレン ピボキシル）	特になし	◯ 処方可
	クラリシッド、クラリス（クラリスロマイシン）	特になし	◯ 処方可
	ジスロマック（アジスロマイシン水和物）	特になし	◯ 処方可
	クラビット（レボフロキサシン水和物）	特になし	◯ 処方可
抗炎症薬および鎮痛薬	カロナール（アセトアミノフェン）	特になし	◯ 処方可
	SG（イソプロピルアンチピリン、アセトアミノフェン、アリルイソプロピルアセチル尿素、無水カフェイン）	特になし	◯ 処方可
	ロキソニン（ロキソプロフェンナトリウム水和物）	出血傾向の増強	減量、休薬など
	ボルタレン（ジクロフェナクナトリウム）	出血傾向の増強	減量、休薬など
抗真菌薬または抗ウイルス薬	フロリード（ミコナゾール）	特になし	◯ 処方可
	イトリゾール（イトラコナゾール）	特になし	◯ 処方可
	バルトレックス（バラシクロビル塩酸塩）	特になし	◯ 処方可
	ゾビラックス（アシクロビル）	特になし	◯ 処方可
局所麻酔薬	エピリド、オーラ、キシロカイン（アドレナリン含有リドカイン塩酸塩）	併用により血圧上昇	減量、休薬など
	シタネスト-オクタプレシン（プロピトカイン塩酸塩・フェリプレシン）	特になし	◯ 処方可
胃粘膜保護薬	ムコスタ（レバミピド）	特になし	◯ 処方可

……処方可　……慎重を要する　……減量、休薬など　……併用禁忌／原則禁忌

One Point　局所麻酔薬はシタネストを

本剤はうつ病、うつ状態の治療薬だが、線維性筋痛症、慢性腰痛症、変形性関節症などにともなう疼痛に有効だ。副作用として口渇（12.8％）、稀に口内炎、歯痛がみられることがある。

精神神経疾患治療薬（抗うつ薬）

Paroxetine Hydrochloride Hydrate

パロキセチン塩酸塩水和物

モノアミン仮説に基づく選択的セロトニン再取り込み阻害薬（SSRI）のひとつ。シナプス間隙における再取り込み阻害によってセロトニンの濃度を上げる。薬物代謝酵素 CYP2D6 を阻害することから、CYP2D6 で代謝される薬剤との相互作用に注意。

パキシル

パキシル CR

後 パロキセチン
「アメル」「オーハラ」「科研」「ケミファ」「サワイ」「サンド」「タカタ」「タナベ」「テバ」「トーワ」「日医工」「日新」「ファイザー」「フェルゼン」「明治」「AA」「DK」「DSEP」「EE」「FFP」「JG」「KN」「NP」「NPI」「TCK」「TSU」「YD」

効能・効果	うつ病・うつ状態 徐放タイプを除き パニック障害、強迫性障害、社会不安障害、外傷後ストレス障害
警告	18 歳未満の大うつ病性障害患者にて有効性が確認できなかった、また自殺リスク増加の報告。大うつ病性障害患者への投与の際は適応を慎重に検討すること。
禁忌	本剤の成分に対し過敏症の既往歴のある患者、モノアミン酸化酵素阻害薬投与中あるいは投与中止後 2 週間以内、ピモジド投与中の患者
副作用	重大な副作用：セロトニン症候群、悪性症候群、錯乱、幻覚、せん妄、痙攣、中毒性表皮壊死融解症、皮膚粘膜眼症候群、多形紅斑、抗利尿ホルモン不適合分泌症候群、重篤な肝機能障害、横紋筋融解症、汎血球減少、無顆粒球症、白血球減少、血小板減少、アナフィラキシー
用法・用量	うつ病・うつ状態：20 〜 40mg を 1 日 1 回（夕食後）、1 回 10 〜 20mg より開始し、原則 1 週ごとに 10mg ずつ増量、1 日 40mg を上限とし、症状により適宜増減 パニック障害：30mg を 1 日 1 回（夕食後）、1 回 10mg より開始し、原則 1 週ごとに 10mg ずつ増量、1 日 30mg を上限とし、症状により適宜増減 強迫性障害：40mg を 1 日 1 回（夕食後）、1 回 20mg より開始し、原則 1 週ごとに 10mg ずつ増量、1 日 50mg を上限とし、症状により適宜増減 社会不安障害：20mg を 1 日 1 回（夕食後）、1 回 10mg より開始し、原則 1 週ごとに 10mg ずつ増量、1 日 40mg を上限とし、症状により適宜増減 外傷後ストレス障害：20mg を 1 日 1 回（夕食後）、1 回 10 〜 20mg より開始し、原則 1 週ごとに 10mg ずつ増量：1 日 40mg を上限とし、症状により適宜増減 徐放タイプ 12.5mg を 1 日 1 回（夕食後）、その後 1 週かけて 1 日 25mg に増量、増量は 1 週間以上の間隔をあけて 1 日 12.5mg ずつ、50mg を上限として年齢、症状により適宜増減
半減期	普通錠 20mg でおよそ 14 時間

パロキセチン塩酸塩水和物

表 歯科医院で処方される主な併用薬との相互作用

併用薬		相互作用	方策
抗菌薬	サワシリン（アモキシシリン水和物）	特になし	処方可
	ケフラール（セファクロル）	特になし	処方可
	フロモックス（セフカペン ピボキシル塩酸塩水和物）	特になし	処方可
	メイアクトMS（セフジトレン ピボキシル）	特になし	処方可
	クラリシッド、クラリス（クラリスロマイシン）	特になし	処方可
	ジスロマック（アジスロマイシン水和物）	特になし	処方可
	クラビット（レボフロキサシン水和物）	特になし	処方可
抗炎症薬および鎮痛薬	カロナール（アセトアミノフェン）	特になし	処方可
	SG（イソプロピルアンチピリン、アセトアミノフェン、アリルイソプロピルアセチル尿素、無水カフェイン）	特になし	処方可
	ロキソニン（ロキソプロフェンナトリウム水和物）	非ステロイド性抗炎症薬併用により出血傾向増強の可能性	慎重を要する
	ボルタレン（ジクロフェナクナトリウム）	併用で出血傾向増強、消化管出血のおそれ――本剤投与により血小板凝集が阻害される	慎重を要する
抗真菌薬または抗ウイルス薬	フロリード（ミコナゾール）	特になし	処方可
	イトリゾール（イトラコナゾール）	特になし	処方可
	バルトレックス（バラシクロビル塩酸塩）	特になし	処方可
	ゾビラックス（アシクロビル）	特になし	処方可
局所麻酔薬	エピリド、オーラ、キシロカイン（アドレナリン含有リドカイン塩酸塩）	特になし	処方可
	シタネスト－オクタプレシン（プロピトカイン塩酸塩・フェリプレシン）	特になし	処方可
胃粘膜保護薬	ムコスタ（レバミピド）	特になし	処方可

……処方可　　……慎重を要する　　……減量、休薬など　　……併用禁忌／原則禁忌

One Point　セロトニン作用を持つ薬剤、食品に注意する

　本剤とセロトニン作用薬との併用によりセロトニン症候群が発現する可能性が上昇するとされている。発症の多くは服薬から数時間以内で、不安、震え、頻脈などの症状がみられる。ハーブの一種であるセント・ジョーンズ・ワート（セイヨウオトギリソウ）はセロトニン作用を持ち、本剤添付文書の併用注意に挙げられている。鎮痛薬のトラマドール塩酸塩製剤（商品名トラムセットなど）においても、本剤を含むSSRI併用によりセロトニン症候群が発現する可能性がある。

精神神経疾患治療薬（睡眠薬）

ブロチゾラム

Brotizolam

> ベンゾジアゼピン系（チエノトリアゾロジアゼピン系）睡眠薬のひとつ。抑制性の神経伝達物質GABAの作用を増強し、中枢神経系の活動を抑制する。本剤は半減期による分類の短時間型に属し、寝つきが良くない状態に使用される。

レンドルミン

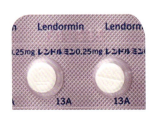

後 ブロチゾラム
「アメル」「オーハラ」「サワイ」「テバ」「トーワ」「日医工」「日新」「ヨシトミ」「AFP」「CH」「EMEC」「JG」「TCK」「YD」

効能・効果	不眠症、麻酔前投薬	用法・用量	0.25mgを1回（就寝前）、年齢、症状により適宜増減
禁忌	急性閉塞隅角緑内障、重症筋無力症の患者 原則禁忌 肺性心、肺気腫、気管支喘息および脳血管障害の急性期などで呼吸機能が高度に低下している場合	副作用	重大な副作用：肝機能障害、黄疸、一過性前向性健忘、もうろう状態、依存性
半減期	およそ7時間		

162　別冊 the Quintessence

ブロチゾラム

表　歯科医院で処方される主な併用薬との相互作用

併用薬	相互作用	方策
抗菌薬		
サワシリン（アモキシシリン水和物）	特になし	〇 処方可
ケフラール（セファクロル）	特になし	〇 処方可
フロモックス（セフカペン ピボキシル塩酸塩水和物）	特になし	〇 処方可
メイアクトMS（セフジトレン ピボキシル）	特になし	〇 処方可
クラリシッド、クラリス（クラリスロマイシン）	特になし	〇 処方可
ジスロマック（アジスロマイシン水和物）	特になし	〇 処方可
クラビット（レボフロキサシン水和物）	特になし	〇 処方可
抗炎症薬および鎮痛薬		
カロナール（アセトアミノフェン）	特になし	〇 処方可
SG（イソプロピルアンチピリン、アセトアミノフェン、アリルイソプロピルアセチル尿素、無水カフェイン）	特になし	〇 処方可
ロキソニン（ロキソプロフェンナトリウム水和物）	特になし	〇 処方可
ボルタレン（ジクロフェナクナトリウム）	特になし	〇 処方可
抗真菌薬または抗ウイルス薬		
フロリード（ミコナゾール）	本剤の血中濃度上昇による作用増強および作用時間延長の可能性――ミコナゾールによるCYP3A4阻害	慎重を要する
イトリゾール（イトラコナゾール）	本剤の血中濃度上昇による作用増強および作用時間延長の可能性――イトラコナゾールによるCYP3A4阻害	慎重を要する
バルトレックス（バラシクロビル塩酸塩）	特になし	〇 処方可
ゾビラックス（アシクロビル）	特になし	〇 処方可
局所麻酔薬		
エピリド、オーラ、キシロカイン（アドレナリン含有リドカイン塩酸塩）	特になし	〇 処方可
シタネスト‐オクタプレシン（プロピトカイン塩酸塩・フェリプレシン）	特になし	〇 処方可
胃粘膜保護薬		
ムコスタ（レバミピド）	特になし	〇 処方可

……処方可　　……慎重を要する　　……減量、休薬など　　……併用禁忌／原則禁忌

One Point　転倒リスクに注意する

　主な副作用は、残眠感・眠気、ふらつき、頭重感、だるさ、めまい、頭痛、倦怠感である。
　本剤を含むベンゾジアゼピン系薬については承認用量の範囲内においても依存に関連する副作用が報告されていることをふまえ、漫然とした継続投与による長期使用を避けることなどを添付文書に盛り込むよう、厚労省より2017年3月に改訂の指示が出された。

精神神経疾患治療薬（睡眠薬）

ラメルテオン
Ramelteon

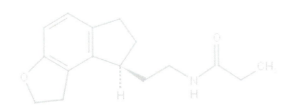

ベンゾジアゼピン系睡眠薬とは作用機序の異なるメラトニン受容体作動薬に属する睡眠薬。視床下部に存在するメラトニン受容体（MT_1、MT_2）に選択的に作用し、睡眠を促す。受容体の選択性が高く、依存性などの懸念は比較的小さいとされる。

ロゼレム

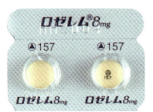

効能・効果	不眠症における入眠困難の改善	用法・用量	通常、成人にはラメルテオンとして1回8mgを就寝前に経口投与する
禁忌	本剤の成分に対する過敏症の既往歴のある患者、高度な肝機能障害のある患者、フルボキサミンマレイン酸塩を投与中の患者	副作用	重大な副作用：アナフィラキシー（蕁麻疹、血管浮腫等）、（頻度不明[注]）があらわれることがあるので、観察を十分に行い、異常が認められた場合には投与を中止し、適切な処置を行うこと 注）外国での製造販売後の報告による

半減期 約0.94時間（未変化体）、約1.94時間（活性代謝物）

ラメルテオン

表 歯科医院で処方される主な併用薬との相互作用

併用薬		相互作用	方策
抗菌薬	サワシリン（アモキシシリン水和物）	特になし	処方可
	ケフラール（セファクロル）	特になし	処方可
	フロモックス（セフカペン ピボキシル塩酸塩水和物）	特になし	処方可
	メイアクトMS（セフジトレン ピボキシル）	特になし	処方可
	クラリシッド、クラリス（クラリスロマイシン）	本剤の作用増強の可能性——マクロライド系抗菌薬によるCYP3A4阻害	慎重を要する
	ジスロマック（アジスロマイシン水和物）	本剤の作用増強の可能性——マクロライド系抗菌薬によるCYP3A4阻害	慎重を要する
	クラビット（レボフロキサシン水和物）	本剤の作用増強の可能性——フルボキサミンマレイン酸塩との併用で本剤の血中濃度上昇の報告、キノロン系抗菌薬等他のCYP1A2阻害薬併用でも血中濃度が上昇する可能性	慎重を要する
抗炎症薬および鎮痛薬	カロナール（アセトアミノフェン）	特になし	処方可
	SG（イソプロピルアンチピリン、アセトアミノフェン、アリルイソプロピルアセチル尿素、無水カフェイン）	特になし	処方可
	ロキソニン（ロキソプロフェンナトリウム水和物）	特になし	処方可
	ボルタレン（ジクロフェナクナトリウム）	特になし	処方可
抗真菌薬または抗ウイルス薬	フロリード（ミコナゾール）	本剤の作用増強の可能性——CYP3A4阻害薬ケトコナゾール（経口：国内未発売）との併用により本剤の最高血中濃度、AUC上昇の報告	慎重を要する
	イトリゾール（イトラコナゾール）	本剤の作用増強の可能性——CYP3A4阻害薬ケトコナゾール（経口：国内未発売）との併用により本剤の最高血中濃度、AUC上昇の報告	慎重を要する
	バルトレックス（バラシクロビル塩酸塩）	特になし	処方可
	ゾビラックス（アシクロビル）	特になし	処方可
局所麻酔薬	エピリド、オーラ、キシロカイン（アドレナリン含有リドカイン塩酸塩）	特になし	処方可
	シタネスト - オクタプレシン（プロピトカイン塩酸塩・フェリプレシン）	特になし	処方可
胃粘膜保護薬	ムコスタ（レバミピド）	特になし	処方可

……処方可　……慎重を要する　……減量、休薬など　……併用禁忌／原則禁忌

One Point　副作用の比較的少ない睡眠薬

　本剤の主な副作用は、傾眠、頭痛、倦怠感、浮動性めまいである。
　他の睡眠薬にみられる鎮静、筋弛緩作用がなく、反跳性不眠（急に服用を中断することで、服用以前よりもさらに眠れなくなること）が生じにくいとされている。

精神神経疾患治療薬（抗不安薬）

ロラゼパム

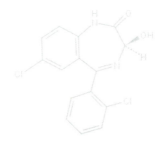

ベンゾジアゼピン系抗不安薬のひとつ。抗不安作用は比較的強く、半減期による分類では中間型に属する。本剤の代謝には酵素シトクロム P450（CYP）が関与しないため、肝機能の低下した患者などに使用される。

ワイパックス

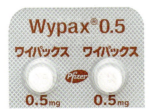

後 ロラゼパム
「サワイ」

効能・効果	神経症における不安・緊張・抑うつ 心身症における身体症候と不安・緊張・抑うつ	用法・用量	1日1〜3mgを2〜3分服、年齢、症状により適宜増減
禁忌	急性閉塞隅角緑内障、重症筋無力症の患者	副作用	重大な副作用：依存性、刺激興奮、錯乱

| 半減期 | 1.0mgでおよそ12時間 |

ロラゼパム

表 歯科医院で処方される主な併用薬との相互作用

併用薬		相互作用	方策
抗菌薬	サワシリン（アモキシシリン水和物）	特になし	処方可
	ケフラール（セファクロル）	特になし	処方可
	フロモックス（セフカペン ピボキシル塩酸塩水和物）	特になし	処方可
	メイアクトMS（セフジトレン ピボキシル）	特になし	処方可
	クラリシッド、クラリス（クラリスロマイシン）	特になし	処方可
	ジスロマック（アジスロマイシン水和物）	特になし	処方可
	クラビット（レボフロキサシン水和物）	特になし	処方可
抗炎症薬および鎮痛薬	カロナール（アセトアミノフェン）	特になし	処方可
	SG（イソプロピルアンチピリン、アセトアミノフェン、アリルイソプロピルアセチル尿素、無水カフェイン）	特になし	処方可
	ロキソニン（ロキソプロフェンナトリウム水和物）	特になし	処方可
	ボルタレン（ジクロフェナクナトリウム）	特になし	処方可
抗真菌薬または抗ウイルス薬	フロリード（ミコナゾール）	本剤の血中濃度上昇による作用増強および作用時間延長の可能性──ミコナゾールによる代謝阻害	慎重を要する
	イトリゾール（イトラコナゾール）	本剤の血中濃度上昇による作用増強および作用時間延長の可能性──イトラコナゾールによる代謝阻害	慎重を要する
	バルトレックス（バラシクロビル塩酸塩）	特になし	処方可
	ゾビラックス（アシクロビル）	特になし	処方可
局所麻酔薬	エピリド、オーラ、キシロカイン（アドレナリン含有リドカイン塩酸塩）	特になし	処方可
	シタネスト-オクタプレシン（プロピトカイン塩酸塩・フェリプレシン）	特になし	処方可
胃粘膜保護薬	ムコスタ（レバミピド）	特になし	処方可

……処方可　……慎重を要する　……減量、休薬など　……併用禁忌／原則禁忌

One Point アルコールとの併用に注意

　主な副作用は、精神神経系（眠気、ふらつき、めまい、頭重、頭痛）と消化器（悪心、胃部不快感、食欲不振、口渇）の症状である（先発品添付文書より）。

　本剤とアルコールを同時に摂取した場合、それぞれの中枢神経抑制作用が増強する可能性がある。本剤に限らずベンゾジアゼピン系薬では注意が必要である。

著・訳

薬剤・ビスフォスフォネート関連顎骨壊死
MRONJ・BRONJ

最新　米国口腔顎顔面外科学会と本邦の
予防・診断・治療の指針

柴原孝彦
岸本裕充
矢郷　香
野村武史

見逃してはならない！ MRONJ・BRONJ

2014年夏，米国口腔顎顔面外科学会が最新の「ビスフォスフォネート関連顎骨壊死」（BRONJ）のポジションペーパーを発表し，「薬剤関連顎骨壊死」（MRONJ）に名称を変更するなど対応の指針を示している．本書はこの訳に加え，アップデートな本邦のデータも集約．MRONJ・BRONJの概要と現状，論点，診断と治療指針，予防と口腔管理のポイントを網羅し，一般開業医・口腔外科医のために臨床的な指針をわかりやすく示している．

■ 骨粗鬆症の治療はもちろん予防として骨吸収抑制薬などを投与されている高齢者，がんなどの病歴のある患者が増加している現状に必須の本．
■ 一般臨床家のための具体的な指針を示しわかりやすい．
■ 薬剤関連顎骨壊死の原因薬剤の見やすい写真入り一覧表．
■ ステージ0からステージ3までの症例とその治療経過の写真を多数掲載．

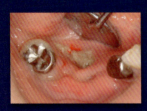
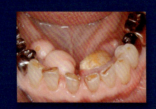
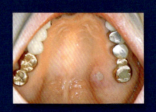
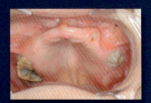
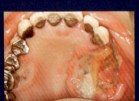
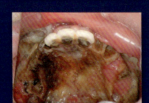
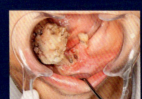
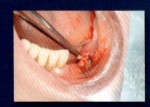

QUINTESSENCE PUBLISHING 日本　●サイズ:A4判変型　●120ページ　●定価6,600円（本体6,000円+税10%）

クインテッセンス出版株式会社
〒113-0033　東京都文京区本郷3丁目2番6号　クイントハウスビル
TEL. 03-5842-2272（営業）　FAX. 03-5800-7592　https://www.quint-j.co.jp　e-mail mb@quint-j.co.jp

骨吸収抑制薬
FOR Bone Resorption

併用禁忌の記載がある掲載薬の一覧

▼投与薬について抽出し、歯科で処方される薬を含むものを赤背景とし、かつ歯科で使われる薬を赤字で示す。

	一般名	添付文書の[禁忌]における記載内容
骨吸収抑制薬	アレンドロン酸ナトリウム水和物　➡ p.170	特になし
	イバンドロン酸ナトリウム水和物　➡ p.172	特になし
	デノスマブ　➡ p.174	特になし
	ミノドロン酸水和物　➡ p.176	特になし
	リセドロン酸ナトリウム水和物　➡ p.178	特になし

骨吸収抑制薬

Alendronate Sodium Hydrate
アレンドロン酸ナトリウム水和物

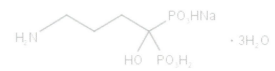

側鎖に窒素原子を持つ第二世代ビスホスホネート（BP）。第一世代のBPを大きく上回る骨吸収抑制作用を有し、また骨石灰化抑制が生じにくい。骨折抑制の点からはビタミンDの併用が推奨されている。他のBP製剤に比べ、飲みやすさに配慮した剤形のバリエーションが存在する。

フォサマック

後 アレンドロン酸
「アメル」「サワイ」「テバ」「トーワ」「日医工」「ファイザー」「DK」「F」「HK」「JG」「RTO」「SN」「TCK」「YD」

ボナロン

効能・効果	骨粗鬆症

用法・用量	錠 5mgまたは35mgを1日1回、毎朝起床時に約180mLの水とともに服用。少なくとも30分は横臥せず、また水以外の飲食や他の薬剤の経口摂取を避ける 点滴静注 900μgを4週に1回、30分以上かけて点滴静脈内投与

禁忌	共通 本剤の成分あるいは他のBP製剤に対し過敏症の既往歴のある患者、低カルシウム血症の患者 経口ゼリー・錠 上記に加え食道狭窄またはアカラシア等の食道通過遅延障害のある患者、服用時に30分以上上体を起こしていることや、立位を保てない患者

副作用	重大な副作用：共通 肝機能障害、黄疸、低カルシウム血症、中毒性表皮壊死融解症、皮膚粘膜眼症候群、顎骨壊死・顎骨骨髄炎、外耳道骨壊死、大腿骨転子下および近位大腿骨骨幹部の非定型骨折 経口ゼリー・錠 上記に加え食道・口腔内障害、胃・十二指腸障害

半減期	0.1mg（静脈内）：23～25時間、5mg（経口）：26～27時間

アレンドロン酸ナトリウム水和物

表 歯科医院で処方される主な併用薬との相互作用（※併用薬は同時服用を避けること）

併用薬		相互作用	方策
抗菌薬	サワシリン（アモキシシリン水和物）	特になし	○ 処方可
	ケフラール（セファクロル）	特になし	○ 処方可
	フロモックス（セフカペン ピボキシル塩酸塩水和物）	特になし	○ 処方可
	メイアクトMS（セフジトレン ピボキシル）	特になし	○ 処方可
	クラリシッド、クラリス（クラリスロマイシン）	特になし	○ 処方可
	ジスロマック（アジスロマイシン水和物）	特になし	○ 処方可
	クラビット（レボフロキサシン水和物）	特になし	○ 処方可
抗炎症薬および鎮痛薬	カロナール（アセトアミノフェン）	特になし	○ 処方可
	SG（イソプロピルアンチピリン、アセトアミノフェン、アリルイソプロピルアセチル尿素、無水カフェイン）	特になし	○ 処方可
	ロキソニン（ロキソプロフェンナトリウム水和物）	特になし	○ 処方可
	ボルタレン（ジクロフェナクナトリウム）	特になし	○ 処方可
抗真菌薬または抗ウイルス薬	フロリード（ミコナゾール）	特になし	○ 処方可
	イトリゾール（イトラコナゾール）	特になし	○ 処方可
	バルトレックス（バラシクロビル塩酸塩）	特になし	○ 処方可
	ゾビラックス（アシクロビル）	特になし	○ 処方可
局所麻酔薬	エピリド、オーラ、キシロカイン（アドレナリン含有リドカイン塩酸塩）	特になし	○ 処方可
	シタネスト-オクタプレシン（プロピトカイン塩酸塩・フェリプレシン）	特になし	○ 処方可
胃粘膜保護薬	ムコスタ（レバミピド）	特になし	○ 処方可

※本剤服用後少なくとも30分は横にならず、飲食（水を除く）ならびに他の薬剤の経口摂取を避ける。

……処方可　……慎重を要する　……減量、休薬など　……併用禁忌／原則禁忌

One Point 骨密度上昇、骨折抑制のエビデンスが豊富

重大な副作用に顎骨壊死・顎骨骨髄炎がある（35mg製剤において0.03%）。その他の副作用として、口内乾燥、口内炎、嚥下困難、歯肉腫脹が記載されている（先発品添付文書より）。

骨粗鬆症では適応となる薬剤が男女でやや異なる。本剤は男性骨粗鬆症における椎体骨折抑制効果が海外のメタアナリシスにより確認されている（骨粗鬆症の予防と治療ガイドライン2015年版）。

骨吸収抑制薬

Ibandronate Sodium Hydrate
イバンドロン酸ナトリウム水和物

第二世代ビスホスホネート製剤。第二世代以降のBPは、第一世代とは異なった機序（メバロン酸経路を阻害）により破骨細胞のアポトーシスを導く。

他のBPの注射製剤が点滴による持続投与であるのに対し、本剤はワンショットですむ剤形があり、さらなるアドヒアランスの向上が見込める。

ボンビバ

効能・効果	骨粗鬆症	用法・用量	錠 100mgを1ヵ月に1回、起床時に約180mLの水とともに服用。少なくとも60分は横臥せず、また水以外の飲食や他の薬剤の経口摂取を避ける 静注 1mgを1ヵ月に1回静脈内投与
禁忌	共通 本剤の成分あるいは他のBP製剤に対し過敏症の既往歴のある患者、低カルシウム血症の患者、妊婦または妊娠の可能性のある患者 錠 上記に加え食道狭窄またはアカラシア等の食道通過遅延障害のある患者、服用時に60分以上立位または坐位を保てない患者	副作用	重大な副作用：共通 アナフィラキシーショック、アナフィラキシー反応、顎骨壊死・顎骨骨髄炎、外耳道骨壊死、大腿骨転子下および近位大腿骨骨幹部の非定型骨折 錠 上記に加え上部消化管障害 （いずれも頻度不明）
半減期	反復投与で 錠 約16.1時間、 静注 約18.5時間		

イバンドロン酸ナトリウム水和物

表　歯科医院で処方される主な併用薬との相互作用（※併用薬は同時服用を避けること）

併用薬		相互作用	方策
抗菌薬	サワシリン（アモキシシリン水和物）	特になし	○ 処方可
	ケフラール（セファクロル）	特になし	○ 処方可
	フロモックス（セフカペン ピボキシル塩酸塩水和物）	特になし	○ 処方可
	メイアクトMS（セフジトレン ピボキシル）	特になし	○ 処方可
	クラリシッド、クラリス（クラリスロマイシン）	特になし	○ 処方可
	ジスロマック（アジスロマイシン水和物）	特になし	○ 処方可
	クラビット（レボフロキサシン水和物）	特になし	○ 処方可
抗炎症薬および鎮痛薬	カロナール（アセトアミノフェン）	特になし	○ 処方可
	SG（イソプロピルアンチピリン、アセトアミノフェン、アリルイソプロピルアセチル尿素、無水カフェイン）	特になし	○ 処方可
	ロキソニン（ロキソプロフェンナトリウム水和物）	特になし	○ 処方可
	ボルタレン（ジクロフェナクナトリウム）	特になし	○ 処方可
抗真菌薬または抗ウイルス薬	フロリード（ミコナゾール）	特になし	○ 処方可
	イトリゾール（イトラコナゾール）	特になし	○ 処方可
	バルトレックス（バラシクロビル塩酸塩）	特になし	○ 処方可
	ゾビラックス（アシクロビル）	特になし	○ 処方可
局所麻酔薬	エピリド、オーラ、キシロカイン（アドレナリン含有リドカイン塩酸塩）	特になし	○ 処方可
	シタネスト-オクタプレシン（プロピトカイン塩酸塩・フェリプレシン）	特になし	○ 処方可
胃粘膜保護薬	ムコスタ（レバミピド）	特になし	○ 処方可

※本剤服用後少なくとも60分は横にならず、飲食（水を除く）ならびに他の薬剤の経口摂取を避ける。

……処方可　……慎重を要する　……減量、休薬など　……併用禁忌／原則禁忌

One Point　月一回の静脈内投与が可能な薬

　本剤の静注タイプは経口タイプでの上部消化管障害と吸収率が低い問題を改善でき、また、ワンショット静注は経口薬が飲みづらい患者や服用を忘れがちな患者に使える。投与時間が短く、患者の負担も少ない。

骨吸収抑制薬

デノスマブ
Denosumab

破骨細胞の分化、成熟、生存に最も重要な役割を担っている破骨細胞分化因子（recepter activator of nuclear factor-κB ligand：RANKL）に対する完全ヒト型モノクローナル抗体IgG2抗体である。RANKLとその受容体であるRANKLの結合を阻害することにより、骨吸収を著明に抑制する。

プラリア　　　　　　　　　　　　**ランマーク**

効能・効果	**プラリア**　❶骨粗鬆症、❷関節リウマチに伴う骨びらんの進行抑制　**ランマーク**　❶多発性骨髄腫による骨病変および固形癌骨転移による骨病変、❷骨巨細胞腫	用法・用量	**プラリア**　❶60mgを6ヵ月に1回皮下投与　❷60mgを6ヵ月に1回皮下投与、進行が認められる場合は3ヵ月に1回投与可　**ランマーク**　❶120mgを4週間に1回皮下投与　❷120mgを第1日、第8日、第15日、第29日、その後は4週間に1回皮下投与
警告	**ランマークのみ**　治療開始後数日から重篤な低カルシウム血症による死亡例の報告。本剤投与にあたっては頻回に血液検査を行い、観察を十分に行うこと。本剤による重篤な低カルシウム血症の発現を軽減するため、血清補正カルシウム値が高値でないかぎり、カルシウムおよびビタミンDの経口補充下で本剤を投与すること。重度の腎機能障害患者では低カルシウム血症のおそれが高いため慎重投与。本剤投与後に低カルシウム血症が認められたときは適切な処置を速やかに行うこと。骨巨細胞腫に対する本剤の投与は、緊急時に十分対応可能な施設において、診断と治療に十全の知識・経験を持つ医師のもとで、本剤投与が適切と判断される症例についてのみ行うこと。	禁忌	**共通**　本剤の成分に対し過敏症の既往歴のある患者、妊婦または妊娠の可能性のある患者　**プラリアのみ**　上記に加え低カルシウム血症の患者
		副作用	重大な副作用：**共通**　低カルシウム血症、顎骨壊死・顎骨骨髄炎、アナフィラキシー、大腿骨転子下および近位大腿骨骨幹部の非定型骨折、重篤な皮膚感染症　**プラリアのみ**　上記に加え治療中止後の多発性椎体骨折

半減期　**ランマーク**　60mg投与でおよそ25日

デノスマブ

表　歯科医院で処方される主な併用薬との相互作用

	併用薬	相互作用	方策
抗菌薬	サワシリン（アモキシシリン水和物）	特になし	○ 処方可
	ケフラール（セファクロル）	特になし	○ 処方可
	フロモックス（セフカペン ピボキシル塩酸塩水和物）	特になし	○ 処方可
	メイアクトMS（セフジトレン ピボキシル）	特になし	○ 処方可
	クラリシッド、クラリス（クラリスロマイシン）	特になし	○ 処方可
	ジスロマック（アジスロマイシン水和物）	特になし	○ 処方可
	クラビット（レボフロキサシン水和物）	特になし	○ 処方可
抗炎症薬および鎮痛薬	カロナール（アセトアミノフェン）	特になし	○ 処方可
	SG（イソプロピルアンチピリン、アセトアミノフェン、アリルイソプロピルアセチル尿素、無水カフェイン）	特になし	○ 処方可
	ロキソニン（ロキソプロフェンナトリウム水和物）	特になし	○ 処方可
	ボルタレン（ジクロフェナクナトリウム）	特になし	○ 処方可
抗真菌薬または抗ウイルス薬	フロリード（ミコナゾール）	特になし	○ 処方可
	イトリゾール（イトラコナゾール）	特になし	○ 処方可
	バルトレックス（バラシクロビル塩酸塩）	特になし	○ 処方可
	ゾビラックス（アシクロビル）	特になし	○ 処方可
局所麻酔薬	エピリド、オーラ、キシロカイン（アドレナリン含有リドカイン塩酸塩）	特になし	○ 処方可
	シタネスト－オクタプレシン（プロピトカイン塩酸塩・フェリプレシン）	特になし	○ 処方可
胃粘膜保護薬	ムコスタ（レバミピド）	特になし	○ 処方可

……処方可　　……慎重を要する　　……減量、休薬など　　……併用禁忌／原則禁忌

One Point　破骨細胞形成を阻害して骨代謝を抑制

重大な副作用に顎骨壊死・顎骨骨髄炎がある（ランマーク：1.8％、プラリア：0.1％）。その他の副作用として、口内炎、歯周炎（0.5％〜2％未満）、口腔ヘルペス、歯肉炎（0.5％未満）が記載されている（先発品添付文書より）。

大腿骨近位部骨折リスクが高い患者に対して、アレンドロン酸ナトリウム水和物、リセドロン酸ナトリウム水和物とともに第一選択薬に挙げられている（骨粗鬆症の予防と治療ガイドライン2015年版）。

骨吸収抑制薬

ミノドロン酸水和物
Minodronic Acid Hydrate

側鎖に環状窒素を含んだ国産の第三世代BP。日本人の骨粗鬆症患者を対象に、ランダム化対照試験による骨折抑制効果が検証されている。

服用前後の飲食や姿勢などにさまざまな制約がある経口BPであるが、ミノドロン酸水和物では服用時の煩わしさをさらに軽減するために4週に一回投与の製剤が先駆けて開発された。

ボノテオ

⑱ ミノドロン酸
「あゆみ」「サワイ」「武田テバ」「トーワ」「日医工」「ニプロ」「三笠」「JG」「YD」

リカルボン

効能・効果	骨粗鬆症	用法・用量	1mgを1日1回、または50mgを4週間に1回、起床時に約180mLの水とともに服用。少なくとも30分は横臥せず、また水以外の飲食や他の薬剤の経口摂取を避ける
禁忌	食道狭窄またはアカラシア等の食道通過遅延障害のある患者、服用時に30分以上上体を起こしていることのできない患者、本剤の成分あるいは他のBP製剤に対し過敏症の既往歴のある患者、低カルシウム血症の患者、妊婦または妊娠の可能性のある患者	副作用	重大な副作用：上部消化管障害、顎骨壊死・顎骨骨髄炎、外耳道骨壊死、大腿骨転子下および近位大腿骨骨幹部の非定型骨折、肝機能障害、黄疸
半減期	非高齢男子（女子）において空腹時1mg内服でおよそ8（12）時間		

表 歯科医院で処方される主な併用薬との相互作用（※併用薬は同時服用を避けること）

併用薬		相互作用	方策	
抗菌薬	サワシリン（アモキシシリン水和物）	特になし	〇	処方可
	ケフラール（セファクロル）	特になし	〇	処方可
	フロモックス（セフカペン ピボキシル塩酸塩水和物）	特になし	〇	処方可
	メイアクトMS（セフジトレン ピボキシル）	特になし	〇	処方可
	クラリシッド、クラリス（クラリスロマイシン）	特になし	〇	処方可
	ジスロマック（アジスロマイシン水和物）	特になし	〇	処方可
	クラビット（レボフロキサシン水和物）	特になし	〇	処方可
抗炎症薬および鎮痛薬	カロナール（アセトアミノフェン）	特になし	〇	処方可
	SG（イソプロピルアンチピリン、アセトアミノフェン、アリルイソプロピルアセチル尿素、無水カフェイン）	特になし	〇	処方可
	ロキソニン（ロキソプロフェンナトリウム水和物）	特になし	〇	処方可
	ボルタレン（ジクロフェナクナトリウム）	特になし	〇	処方可
抗真菌薬または抗ウイルス薬	フロリード（ミコナゾール）	特になし	〇	処方可
	イトリゾール（イトラコナゾール）	特になし	〇	処方可
	バルトレックス（バラシクロビル塩酸塩）	特になし	〇	処方可
	ゾビラックス（アシクロビル）	特になし	〇	処方可
局所麻酔薬	エピリド、オーラ、キシロカイン（アドレナリン含有リドカイン塩酸塩）	特になし	〇	処方可
	シタネスト-オクタプレシン（プロピトカイン塩酸塩・フェリプレシン）	特になし	〇	処方可
胃粘膜保護薬	ムコスタ（レバミピド）	特になし	〇	処方可

※本剤服用後少なくとも30分は横にならず、飲食（水を除く）ならびに他の薬剤の経口摂取を避ける。

……処方可　……慎重を要する　……減量、休薬など　……併用禁忌／原則禁忌

One Point　骨吸収抑制作用がきわめて強い

　顎骨壊死・顎骨骨髄炎（頻度不明）が現れることがある。その他の副作用として、口内炎、口唇炎、口渇、歯肉痛、口の錯感覚（いずれも頻度不明）が記載されている（先発品添付文書より）。

　日本人の骨粗鬆症患者を対象とした臨床試験で、骨密度上昇効果と椎体骨折抑制効果が確認されている（骨粗鬆症の予防と治療ガイドライン2015年版）。

骨吸収抑制薬

Sodium Risedronate Hydrate
リセドロン酸ナトリウム水和物

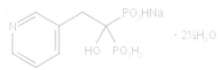

リセドロン酸ナトリウム水和物は破骨細胞による骨吸収を抑制して骨量の減少を抑制する。骨吸収抑制作用により海綿骨骨梁の連続性を維持して骨の質を保つことで骨強度を維持する。ハイドロキシアパタイトに高い親和性を示し、リン酸カルシウムからのハイドロキシアパタイト結晶の形成過程を抑制して、異所性骨化の進展を阻止する。

アクトネル

後 リセドロン酸 Na
「杏林」「興和テバ」「サワイ」「サンド」「タカタ」「タナベ」「トーワ」「日医工」「日新」「ファイザー」「明治」「ユートク」「F」「FFP」「JG」「NP」「SN」「YD」「ZE」

後 リセドロン酸ナトリウム
「ケミファ」

ベネット

効能・効果	❶骨粗鬆症 ❷（17.5mgのみ）骨ページェット病	用法・用量	通常、成人にはリセドロン酸ナトリウムとして75mgを月1回、起床時に十分量（約180mL）の水とともに経口投与する。なお、服用後少なくとも30分は横にならず、水以外の飲食並びに他の薬剤の経口摂取も避けること
禁忌	食道狭窄またはアカラシア（食道弛緩不能症）等の食道通過を遅延させる障害のある患者、本剤の成分あるいは他のビスホスホネート系薬剤に対し過敏症の既往歴のある患者、低カルシウム血症の患者、服用時に立位あるいは坐位を30分以上保てない患者、妊婦または妊娠している可能性のある女性、高度な腎機能障害（クレアチニンクリアランス値：約30mL/分未満）のある患者	副作用	重大な副作用：上部消化管障害、肝機能障害、黄疸、顎骨壊死・顎骨骨髄炎、外耳道骨壊死、大腿骨転子下および近位大腿骨骨幹部および近位尺骨骨幹部等の非定型骨折

半減期	1.5時間

表 歯科医院で処方される主な併用薬との相互作用（※併用薬は同時服用を避けること）

併用薬		相互作用	方策	
抗菌薬	サワシリン（アモキシシリン水和物）	特になし	〇	処方可
	ケフラール（セファクロル）	特になし	〇	処方可
	フロモックス（セフカペン ピボキシル塩酸塩水和物）	特になし	〇	処方可
	メイアクトMS（セフジトレン ピボキシル）	特になし	〇	処方可
	クラリシッド、クラリス（クラリスロマイシン）	特になし	〇	処方可
	ジスロマック（アジスロマイシン水和物）	特になし	〇	処方可
	クラビット（レボフロキサシン水和物）	特になし	〇	処方可
抗炎症薬および鎮痛薬	カロナール（アセトアミノフェン）	特になし	〇	処方可
	SG（イソプロピルアンチピリン、アセトアミノフェン、アリルイソプロピルアセチル尿素、無水カフェイン）	特になし	〇	処方可
	ロキソニン（ロキソプロフェンナトリウム水和物）	特になし	〇	処方可
	ボルタレン（ジクロフェナクナトリウム）	特になし	〇	処方可
抗真菌薬または抗ウイルス薬	フロリード（ミコナゾール）	特になし	〇	処方可
	イトリゾール（イトラコナゾール）	特になし	〇	処方可
	バルトレックス（バラシクロビル塩酸塩）	特になし	〇	処方可
	ゾビラックス（アシクロビル）	特になし	〇	処方可
局所麻酔薬	エピリド、オーラ、キシロカイン（アドレナリン含有リドカイン塩酸塩）	特になし	〇	処方可
	シタネスト - オクタプレシン（プロピトカイン塩酸塩・フェリプレシン）	特になし	〇	処方可
保護粘膜薬	ムコスタ（レバミピド）	特になし	〇	処方可

※本剤服用後少なくとも30分は横にならず、飲食（水を除く）ならびに他の薬剤の経口摂取を避ける。

……処方可　……慎重を要する　……減量、休薬など　……併用禁忌／原則禁忌

One Point　骨粗鬆症の薬物療法として推奨

　顎骨壊死・顎骨骨髄炎（頻度不明）が現れることがある。その他の副作用として、口内炎、口渇、舌炎、味覚異常、歯肉腫脹が記載されている（先発品添付文書より）。
　長期ステロイド治療の副作用として年齢や性別を問わず起き、患者数も多いのがステロイド性骨粗鬆症である。薬物療法において本剤とアレンドロン酸ナトリウム水和物が第一選択薬として推奨されている（ステロイド性骨粗鬆症の管理と治療ガイドライン2014年改訂版）。

安心と信頼を築く技術、確かな品質　純国産インプラント

マイティス・アロー インプラント
Mytis ArrowImplant
FDA K052254

マイティス・アロー インプラントは
化学的生体力学に基づいた、細部までの丁寧な設計・デザイン。
機能・形態共に生体親和性に優れた純国産インプラントです。

マイティスアローインプラントシステム

当社では、β-TCPを材料とした製品を多数製造しており、特にHA・TCPでブラスト表面処理したインプラントとβ-TCP骨造成材、β-TCP歯面研磨材は共に使用することで相乗効果を発揮します。これらの製品はすべて自社生産、国産品で、米国FDAを取得済みです。

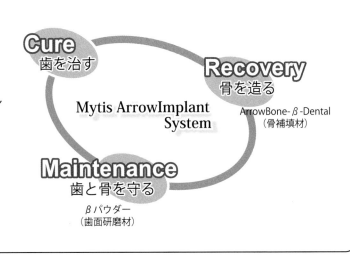

骨置換性に優れたβ-TCP骨補填材

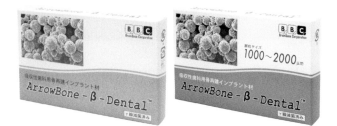

吸収性歯科用骨再建インプラント材
高度管理医療機器（クラスIV）
ArrowBone-β-Dental™
アローボーン-β-デンタル
 FDA K083372

β-TCP100%の球状粉末歯面研磨材

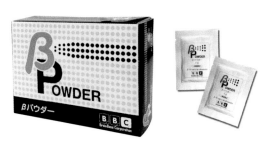

β-POWDER
βパウダー
 FDA K063236

株式会社 ブレーンベース

【本社】〒140-0014 東京都品川区大井1-49-15　YK-17ビル6階
TEL.0120-25-4929　FAX.0120-4929-37　http://www.brain-base.com

抗アレルギー薬

併用禁忌の記載がある掲載薬の一覧

▼投与薬について抽出し、歯科で処方される薬を含むものを赤背景とし、かつ歯科で使われる薬を赤字で示す。

一般名		添付文書の[禁忌]における記載内容
ビラスチン	➡ p.182	特になし
フェキソフェナジン塩酸塩	➡ p.184	特になし
レボセチリジン塩酸塩	➡ p.186	特になし

(抗アレルギー薬)

抗アレルギー薬

ビラスチン
Bilastine

ヒスタミン H_1 受容体においてヒスタミンとの拮抗作用を示すほか、ケミカルメディエーターの遊離抑制作用などによる抗アレルギー作用する。

ビラノア

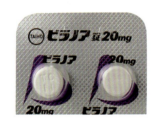

効能・効果	アレルギー性鼻炎、蕁麻疹、皮膚疾患（湿疹・皮膚炎、皮膚そう痒症）に伴うそう痒	用法・用量	1回20mgを1日1回空腹時に経口投与する
禁忌	本剤の成分に対し過敏症の既往歴のある患者	副作用	重大な副作用：ショック、アナフィラキシー

半減期	10.5時間

ビラスチン

表 歯科医院で処方される主な併用薬との相互作用

併用薬	相互作用	方策
抗菌薬		
サワシリン（アモキシシリン水和物）	特になし	○ 処方可
ケフラール（セファクロル）	特になし	○ 処方可
フロモックス（セフカペン ピボキシル塩酸塩水和物）	特になし	○ 処方可
メイアクトMS（セフジトレン ピボキシル）	特になし	○ 処方可
クラリシッド、クラリス（クラリスロマイシン）	特になし	○ 処方可
ジスロマック（アジスロマイシン水和物）	特になし	○ 処方可
クラビット（レボフロキサシン水和物）	特になし	○ 処方可
抗炎症薬および鎮痛薬		
カロナール（アセトアミノフェン）	特になし	○ 処方可
SG（イソプロピルアンチピリン、アセトアミノフェン、アリルイソプロピルアセチル尿素、無水カフェイン）	特になし	○ 処方可
ロキソニン（ロキソプロフェンナトリウム水和物）	特になし	○ 処方可
ボルタレン（ジクロフェナクナトリウム）	特になし	○ 処方可
抗真菌薬または抗ウイルス薬		
フロリード（ミコナゾール）	特になし	○ 処方可
イトリゾール（イトラコナゾール）	特になし	○ 処方可
バルトレックス（バラシクロビル塩酸塩）	特になし	○ 処方可
ゾビラックス（アシクロビル）	特になし	○ 処方可
局所麻酔薬		
エピリド、オーラ、キシロカイン（アドレナリン含有リドカイン塩酸塩）	特になし	○ 処方可
シタネスト - オクタプレシン（プロピトカイン塩酸塩・フェリプレシン）	特になし	○ 処方可
胃粘膜保護薬		
ムコスタ（レバミピド）	特になし	○ 処方可

……処方可 ……慎重を要する ……減量、休薬など ……併用禁忌／原則禁忌

One Point 薬物間相互作用を起こしにくい薬剤

本剤は抗ヒスタミン作用によりアレルギー反応を抑える薬剤で、稀に眠気の他に口渇がある。歯冠周囲炎の適応をもつエリスロマイシンとは併用注意である。

抗アレルギー薬

フェキソフェナジン塩酸塩

Fexofenadine Hydrochloride

フェキソフェナジン塩酸塩は、主な作用として選択的ヒスタミンH_1受容体拮抗作用を有し、さらに炎症性サイトカイン産生抑制作用、好酸球遊走抑制作用及びケミカルメディエーター遊離抑制作用を有する薬剤である。

アレグラ

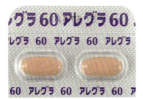

⑱ フェキソフェナジン塩酸塩
「アメル」「杏林」「ケミファ」「サワイ」「三和」「ダイト」「タカタ」「ツルハラ」「トーワ」「日新」「ファイザー」「明治」「モチダ」「BMD」「CEO」「DK」「EE」「FFP」「JG」「KN」「NP」「TCK」「TOA」「YD」「ZE」

効能・効果	アレルギー性鼻炎、蕁麻疹、皮膚疾患（湿疹・皮膚炎、皮膚そう痒症、アトピー性皮膚炎）に伴うそう痒	用法・用量	1回60mgを1日2回経口投与する
禁忌	本剤の成分に対し過敏症の既往歴のある患者	副作用	重大な副作用：ショック、アナフィラキシー、肝機能障害、黄疸、無顆粒球症、白血球減少、好中球減少

半減期	9.6時間

フェキソフェナジン塩酸塩

表 歯科医院で処方される主な併用薬との相互作用

併用薬		相互作用	方策
抗菌薬	サワシリン（アモキシシリン水和物）	特になし	○ 処方可
	ケフラール（セファクロル）	特になし	○ 処方可
	フロモックス（セフカペン ピボキシル塩酸塩水和物）	特になし	○ 処方可
	メイアクトMS（セフジトレン ピボキシル）	特になし	○ 処方可
	クラリシッド、クラリス（クラリスロマイシン）	特になし	○ 処方可
	ジスロマック（アジスロマイシン水和物）	特になし	○ 処方可
	クラビット（レボフロキサシン水和物）	特になし	○ 処方可
抗炎症薬および鎮痛薬	カロナール（アセトアミノフェン）	特になし	○ 処方可
	SG（イソプロピルアンチピリン、アセトアミノフェン、アリルイソプロピルアセチル尿素、無水カフェイン）	特になし	○ 処方可
	ロキソニン（ロキソプロフェンナトリウム水和物）	特になし	○ 処方可
	ボルタレン（ジクロフェナクナトリウム）	特になし	○ 処方可
抗真菌薬または抗ウイルス薬	フロリード（ミコナゾール）	特になし	○ 処方可
	イトリゾール（イトラコナゾール）	特になし	○ 処方可
	バルトレックス（バラシクロビル塩酸塩）	特になし	○ 処方可
	ゾビラックス（アシクロビル）	特になし	○ 処方可
局所麻酔薬	エピリド、オーラ、キシロカイン（アドレナリン含有リドカイン塩酸塩）	特になし	○ 処方可
	シタネスト - オクタプレシン（プロピトカイン塩酸塩・フェリプレシン）	特になし	○ 処方可
胃粘膜保護薬	ムコスタ（レバミピド）	特になし	○ 処方可

……処方可　……慎重を要する　……減量、休薬など　……併用禁忌／原則禁忌

One Point　眠気の副作用が少ない抗アレルギー薬

　フェキソフェナジン製剤は他の同系統の薬剤に比べ、一般的に眠気の副作用が少なく、高所での作業や自動車の運転などへの危険性が少ない。稀に口渇がある。歯冠周囲炎の適応をもつエリスロマイシンは併用注意である。

抗アレルギー薬

レボセチリジン塩酸塩
Levocetirizine hydrochloride

> レボセチリジンは、ラセミ体であるセチリジンのR-エナンチオマーであり、セチリジンと同様に、持続性選択ヒスタミンH_1受容体拮抗・アレルギー性疾患治療薬である。

ザイザル

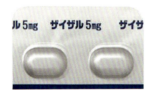

後 レボセチリジン塩酸塩
「アメル」「杏林」「サワイ」「サンド」「タカタ」「武田テバ」「トーワ」「日医工」「日新」「ニプロ」「日本臓器」「フェルゼン」「明治」「CEO」「JG」「KMP」「KN」「TCK」「YD」

効能・効果	アレルギー性鼻炎	**用法・用量**	1回5mgを1日1回、就寝前に経口投与する
禁忌	本剤の成分又はピペラジン誘導体(セチリジン、ヒドロキシジンを含む)に対し過敏症の既往歴のある患者 重度の腎障害(クレアチニンクリアランス10mL/min未満)のある患者	**副作用**	重大な副作用:ショック、アナフィラキシー、痙攣、肝機能障害、黄疸、血小板減少

半減期 7.3時間

レボセチリジン塩酸塩

表 歯科医院で処方される主な併用薬との相互作用

併用薬		相互作用	方策
抗菌薬	サワシリン（アモキシシリン水和物）	特になし	○ 処方可
	ケフラール（セファクロル）	特になし	○ 処方可
	フロモックス（セフカペン ピボキシル塩酸塩水和物）	特になし	○ 処方可
	メイアクトMS（セフジトレン ピボキシル）	特になし	○ 処方可
	クラリシッド、クラリス（クラリスロマイシン）	特になし	○ 処方可
	ジスロマック（アジスロマイシン水和物）	特になし	○ 処方可
	クラビット（レボフロキサシン水和物）	特になし	○ 処方可
抗炎症薬および鎮痛薬	カロナール（アセトアミノフェン）	特になし	○ 処方可
	SG（イソプロピルアンチピリン、アセトアミノフェン、アリルイソプロピルアセチル尿素、無水カフェイン）	特になし	○ 処方可
	ロキソニン（ロキソプロフェンナトリウム水和物）	特になし	○ 処方可
	ボルタレン（ジクロフェナクナトリウム）	特になし	○ 処方可
抗真菌薬または抗ウイルス薬	フロリード（ミコナゾール）	特になし	○ 処方可
	イトリゾール（イトラコナゾール）	特になし	○ 処方可
	バルトレックス（バラシクロビル塩酸塩）	特になし	○ 処方可
	ゾビラックス（アシクロビル）	特になし	○ 処方可
局所麻酔薬	エピリド、オーラ、キシロカイン（アドレナリン含有リドカイン塩酸塩）	特になし	○ 処方可
	シタネスト-オクタプレシン（プロピトカイン塩酸塩・フェリプレシン）	特になし	○ 処方可
胃粘膜保護薬	ムコスタ（レバミピド）	特になし	○ 処方可

……処方可　……慎重を要する　……減量、休薬など　……併用禁忌／原則禁忌

One Point　持続性選択H₁受容体拮抗・抗アレルギー薬

　レボセチリジンは血液脳関門を通過しにくい非鎮静性H_1受容体拮抗薬で、ヒスタミンと受容体を競合し、その作用を遮断することでアレルギー反応を抑制する薬剤である。眠気を強く促す。副作用としては0.1％未満での口渇、口唇炎、口唇乾燥感、口内炎があり、歯科医師として注意する必要がある。

アグサ T・B・S 錠 塩素系除菌剤

〔院内環境〕＋〔石膏模型〕の感染対策

塩素系除菌剤

写真は包装100錠入×2

TBS原液を利用して一般的な除菌ができます
（新型コロナウイルス含む※）

主成分：ジクロロイソシアヌル酸ナトリウム（次亜塩素酸ナトリウム系）

- 速効性
- 多用途に使用可能
- 低コスト

※厚生労働省のHPで新型コロナウイルスに関するQ&A（医療機関・検査機関の方向け）に「物の表面の消毒には次亜塩素酸ナトリウム（0.1％）が有効」と記載されております。
（次亜塩素酸ナトリウム（0.1％）はTBS原液と同等）

TBS原液完成！

100錠入×1 プラ製ピンセット付	3,600円（税抜）
100錠入×2 プラ製ピンセット付	6,600円（税抜）

■使用方法
水1Lに本剤1錠を投入する。

有効塩素濃度	1,000ppm（0.1％）
pH	約5.5 微酸性
溶解時間	5分

■希釈して院内環境・ノロウイルス等の除菌

○ユニット、チェアサイド、キャビネット、床等の除菌
○石膏トラップ、スピットン、排水パイプ、流し台、トイレ、ノロウイルス等の除菌
○シャーレ、薬瓶等の除菌

■歯科医院・歯科技工所での石膏模型の除菌

○未除菌の石膏模型をTBS原液に10分間浸漬した後、保湿容器にて60分間保管。その後に技工作業に着手する。

○水の代わりにTBS原液で石膏を練和する。

除菌された石膏模型

10分間浸漬 → 60分間保管 → 除菌終了

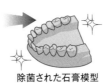
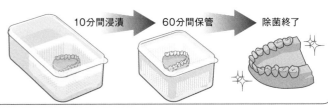

輸入・製造販売業者

アグサジャパン株式会社

アグサジャパン ホームページ　https://www.agsa.co.jp

〒540-0004　大阪市中央区玉造1丁目2番34号　TEL 06-6768-6344　06-6762-8022（営業部）　FAX 06-6768-6368　06-6762-8023（営業部）

呼吸器疾患治療薬

併用禁忌の記載がある掲載薬の一覧

▼投与薬について抽出し、歯科で処方される薬を含むものを赤背景とし、かつ歯科で使われる薬を赤字で示す。

一般名	添付文書の［禁忌］における記載内容
カルボシステイン　→ p.190	特になし
クロモグリク酸ナトリウム　→ p.192	特になし
ジヒドロコデインリン酸塩、dl-メチルエフェドリン塩酸塩、クロルフェニラミンマレイン酸塩　→ p.194	カテコールアミン製剤（アドレナリン、イソプロテレノール等）を投与中の患者
チペピジンヒベンズ酸塩　→ p.196	特になし
デキストロメトルファン臭化水素酸塩水和物　→ p.198	MAO阻害剤投与中の患者
ブデソニド・ホルモテロールフマル酸塩水和物　→ p.200	特になし
モンテルカストナトリウム　→ p.202	特になし

呼吸器疾患治療薬

カルボシステイン
Carbocysteine

カルボシステインは喀痰中のシアル酸とフコースの構成比を正常化し、また、障害された粘膜上皮の線毛細胞の修復を促進することにより、粘液線毛輸送能を改善する。

ムコダイン

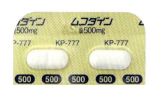

㊜カルボシステイン
「サワイ」「タカタ」「ツルハラ」「テバ」「トーワ」「JG」「TCK」

効能・効果	下記疾患の去痰 　上気道炎（咽頭炎、喉頭炎）、急性気管支炎、気管支喘息、慢性気管支炎、気管支拡張症、肺結核 慢性副鼻腔炎の排膿	用法・用量	1回500mgを1日3回経口投与する
禁忌	本剤の成分に対し過敏症の既往歴のある患者	副作用	重大な副作用：皮膚粘膜眼症候群（Stevens-Johnson症候群）、中毒性表皮壊死症（Lyell症候群）、肝機能障害、黄疸、ショック、アナフィラキシー様症状
半減期	1.4～1.6時間		

カルボシステイン

表 歯科医院で処方される主な併用薬との相互作用

併用薬		相互作用	方策
抗菌薬	サワシリン（アモキシシリン水和物）	特になし	〇 処方可
	ケフラール（セファクロル）	特になし	〇 処方可
	フロモックス（セフカペン ピボキシル塩酸塩水和物）	特になし	〇 処方可
	メイアクトMS（セフジトレン ピボキシル）	特になし	〇 処方可
	クラリシッド、クラリス（クラリスロマイシン）	特になし	〇 処方可
	ジスロマック（アジスロマイシン水和物）	特になし	〇 処方可
	クラビット（レボフロキサシン水和物）	特になし	〇 処方可
抗炎症薬および鎮痛薬	カロナール（アセトアミノフェン）	特になし	〇 処方可
	SG（イソプロピルアンチピリン、アセトアミノフェン、アリルイソプロピルアセチル尿素、無水カフェイン）	特になし	〇 処方可
	ロキソニン（ロキソプロフェンナトリウム水和物）	特になし	〇 処方可
	ボルタレン（ジクロフェナクナトリウム）	特になし	〇 処方可
抗真菌薬または抗ウイルス薬	フロリード（ミコナゾール）	特になし	〇 処方可
	イトリゾール（イトラコナゾール）	特になし	〇 処方可
	バルトレックス（バラシクロビル塩酸塩）	特になし	〇 処方可
	ゾビラックス（アシクロビル）	特になし	〇 処方可
局所麻酔薬	エピリド、オーラ、キシロカイン（アドレナリン含有リドカイン塩酸塩）	特になし	〇 処方可
	シタネスト-オクタプレシン（プロピトカイン塩酸塩・フェリプレシン）	特になし	〇 処方可
胃粘膜保護薬	ムコスタ（レバミピド）	特になし	〇 処方可

……処方可　……慎重を要する　……減量、休薬など　……併用禁忌／原則禁忌

One Point 慢性副鼻腔炎の抗菌薬との有効な併用薬

　歯科で処方される薬剤との主だった相互作用はなく、慢性副鼻腔炎ではマクロライド系抗菌薬（クラリスなど）と併用することによる効果がある。ただし、重大な副作用として稀だが、歯科口腔外科領域に関係する皮膚粘膜眼症候群（Stevens-Johnson症候群）がある。

呼吸器疾患治療薬

クロモグリク酸ナトリウム

Sodium Cromoglicate

カルボシステインは喀痰中のシアル酸とフコースの構成比を正常化し、また、障害された粘膜上皮の線毛細胞の修復を促進することにより、粘液線毛輸送能を改善する。

インタール

㊟クロモグリク酸 Na
「アメル」「サワイ」「武田テバ」「TCK」

効能・効果	気管支喘息	用法・用量	1回2噴霧（クロモグリク酸ナトリウムとして2mg）、1日4回（朝、昼、夕及び就寝前）吸入する
禁忌	本剤の成分に対し過敏症の既往歴のある患者	副作用	重大な副作用：気管支痙攣、PIE症候群、アナフィラキシー様症状
半減期	記載なし		

クロモグリク酸ナトリウム

表 歯科医院で処方される主な併用薬との相互作用

併用薬	相互作用	方策
抗菌薬 サワシリン（アモキシシリン水和物）	特になし	〇 処方可
ケフラール（セファクロル）	特になし	〇 処方可
フロモックス（セフカペン ピボキシル塩酸塩水和物）	特になし	〇 処方可
メイアクトMS（セフジトレン ピボキシル）	特になし	〇 処方可
クラリシッド、クラリス（クラリスロマイシン）	特になし	〇 処方可
ジスロマック（アジスロマイシン水和物）	特になし	〇 処方可
クラビット（レボフロキサシン水和物）	特になし	〇 処方可
抗炎症薬および鎮痛薬 カロナール（アセトアミノフェン）	特になし	〇 処方可
SG（イソプロピルアンチピリン、アセトアミノフェン、アリルイソプロピルアセチル尿素、無水カフェイン）	特になし	〇 処方可
ロキソニン（ロキソプロフェンナトリウム水和物）	特になし	〇 処方可
ボルタレン（ジクロフェナクナトリウム）	特になし	〇 処方可
抗真菌薬または抗ウイルス薬 フロリード（ミコナゾール）	特になし	〇 処方可
イトリゾール（イトラコナゾール）	特になし	〇 処方可
バルトレックス（バラシクロビル塩酸塩）	特になし	〇 処方可
ゾビラックス（アシクロビル）	特になし	〇 処方可
局所麻酔薬 エピリド、オーラ、キシロカイン（アドレナリン含有リドカイン塩酸塩）	特になし	〇 処方可
シタネスト-オクタプレシン（プロピトカイン塩酸塩・フェリプレシン）	特になし	〇 処方可
胃粘膜保護薬 ムコスタ（レバミピド）	特になし	〇 処方可

……処方可　……慎重を要する　……減量、休薬など　……併用禁忌／原則禁忌

One Point　気管支喘息の吸入薬で歯科薬剤との相互作用はない

　本剤は電動式ネブライザーを用いて吸入する薬剤で、主だった歯科で用いる薬剤との併用禁忌はない。稀に副作用として咽頭への刺激感（1.2％）がある。

呼吸器疾患治療薬

Dihydrocodeine phosphate, dl-Methylephedrine hydrochloride, Chlorpheniramine maleate

ジヒドロコデインリン酸塩、dl-メチルエフェドリン塩酸塩、クロルフェニラミンマレイン酸塩

> ジヒドロコデインリン酸塩は、コデインと同じく麻薬性中枢性鎮咳薬に分類され、薬理作用は質的にはモルヒネに準ずる。鎮咳作用は咳中枢の抑制に由来する。dl-メチルエフェドリン塩酸塩は、交感神経興奮様薬物であり、α及びβ受容体を刺激するが、作用の一部は交感神経終末からのノルアドレナリン遊離を介する間接的なものである。β2受容体刺激による気管支拡張作用を有する。クロルフェニラミンマレイン酸塩は、H_1受容体遮断薬であり、H1受容体を介するヒスタミンによるアレルギー性反応（気管支平滑筋の収縮）を抑制する。

フスコデ

クロフェドリンS錠

ライトゲン

- 後 **クロフェドリンSシロップ**
- 後 **ニチコデ散**
- 後 **フスコブロン**
- 後 **プラコデ**
- 後 **ムコブロチン**

効能・効果	下記疾患に伴う咳嗽　急性気管支炎，慢性気管支炎，感冒・上気道炎，肺炎，肺結核	用法・用量	錠 1日9錠、3回分服　シロップ 1日10mL、3回分服
禁忌	重篤な呼吸抑制のある患者、12歳未満の小児、アヘンアルカロイドに対し過敏症の既往歴のある患者、閉塞隅角緑内障の患者、前立腺肥大等下部尿路に閉塞性疾患のある患者、カテコールアミン製剤（アドレナリン，イソプロテレノール等）を投与中の患者	副作用	重大な副作用：無顆粒球症，再生不良性貧血、呼吸抑制
半減期	記載なし		

ジヒドロコデインリン酸塩、dl-メチルエフェドリン塩酸塩、クロルフェニラミンマレイン酸塩

表　歯科医院で処方される主な併用薬との相互作用

併用薬	相互作用	方策
抗菌薬		
サワシリン（アモキシシリン水和物）	特になし	○ 処方可
ケフラール（セファクロル）	特になし	○ 処方可
フロモックス（セフカペン ピボキシル塩酸塩水和物）	特になし	○ 処方可
メイアクトMS（セフジトレン ピボキシル）	特になし	○ 処方可
クラリシッド、クラリス（クラリスロマイシン）	特になし	○ 処方可
ジスロマック（アジスロマイシン水和物）	特になし	○ 処方可
クラビット（レボフロキサシン水和物）	特になし	○ 処方可
抗炎症薬および鎮痛薬		
カロナール（アセトアミノフェン）	特になし	○ 処方可
SG（イソプロピルアンチピリン、アセトアミノフェン、アリルイソプロピルアセチル尿素、無水カフェイン）	特になし	○ 処方可
ロキソニン（ロキソプロフェンナトリウム水和物）	特になし	○ 処方可
ボルタレン（ジクロフェナクナトリウム）	特になし	○ 処方可
抗真菌薬または抗ウイルス薬		
フロリード（ミコナゾール）	特になし	○ 処方可
イトリゾール（イトラコナゾール）	特になし	○ 処方可
バルトレックス（バラシクロビル塩酸塩）	特になし	○ 処方可
ゾビラックス（アシクロビル）	特になし	○ 処方可
局所麻酔薬		
エピリド、オーラ、キシロカイン（アドレナリン含有リドカイン塩酸塩）	特になし	○ 処方可
シタネスト-オクタプレシン（プロピトカイン塩酸塩・フェリプレシン）	特になし	○ 処方可
胃粘膜保護薬		
ムコスタ（レバミピド）	特になし	○ 処方可

……処方可　……慎重を要する　……減量、休薬など　……併用禁忌／原則禁忌

One Point　SAS患者、トリプタノールとの併用には注意

本剤は重篤な呼吸抑制作用があるので、閉塞性睡眠時無呼吸症候群（SAS）患者には投与しないこと。また、顎顔面痛、神経因性疼痛に用いられる三環系うつ薬（トリプタノール）との併用には注意が必要である。

呼吸器疾患治療薬

チペピジンヒベンズ酸塩

Tipepidine hibenzate

延髄の咳中枢を抑制し咳の感受性を低下させることにより鎮咳作用を示すとともに、気管支腺分泌を亢進し気道粘膜線毛上皮運動を亢進することにより去痰作用を示す。

アスベリン

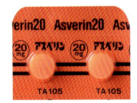

効能・効果	下記疾患に伴う咳嗽及び喀痰喀出困難 感冒、上気道炎（咽喉頭炎、鼻カタル）、急性気管支炎、慢性気管支炎、肺炎、肺結核、気管支拡張症	用法・用量	1日60〜120mg、3回分服
禁忌	本剤の成分に対し過敏症の既往歴のある患者	副作用	重大な副作用：咳嗽、腹痛、嘔吐、発疹、呼吸困難等を伴うアナフィラキシー様症状
半減期	1.8時間		

チペピジンヒベンズ酸塩

表 歯科医院で処方される主な併用薬との相互作用

併用薬	相互作用	方策
抗菌薬 サワシリン（アモキシシリン水和物）	特になし	○ 処方可
ケフラール（セファクロル）	特になし	○ 処方可
フロモックス（セフカペン ピボキシル塩酸塩水和物）	特になし	○ 処方可
メイアクトMS（セフジトレン ピボキシル）	特になし	○ 処方可
クラリシッド、クラリス（クラリスロマイシン）	特になし	○ 処方可
ジスロマック（アジスロマイシン水和物）	特になし	○ 処方可
クラビット（レボフロキサシン水和物）	特になし	○ 処方可
抗炎症薬および鎮痛薬 カロナール（アセトアミノフェン）	特になし	○ 処方可
SG（イソプロピルアンチピリン、アセトアミノフェン、アリルイソプロピルアセチル尿素、無水カフェイン）	特になし	○ 処方可
ロキソニン（ロキソプロフェンナトリウム水和物）	特になし	○ 処方可
ボルタレン（ジクロフェナクナトリウム）	特になし	○ 処方可
抗真菌薬または抗ウイルス薬 フロリード（ミコナゾール）	特になし	○ 処方可
イトリゾール（イトラコナゾール）	特になし	○ 処方可
バルトレックス（バラシクロビル塩酸塩）	特になし	○ 処方可
ゾビラックス（アシクロビル）	特になし	○ 処方可
局所麻酔薬 エピリド、オーラ、キシロカイン（アドレナリン含有リドカイン塩酸塩）	特になし	○ 処方可
シタネスト-オクタプレシン（プロピトカイン塩酸塩・フェリプレシン）	特になし	○ 処方可
胃粘膜保護薬 ムコスタ（レバミピド）	特になし	○ 処方可

……処方可　……慎重を要する　……減量、休薬など　……併用禁忌／原則禁忌

One Point 気道粘膜線毛上皮運動を亢進した去痰作用

一般に処方される歯科薬剤との相互作用はみられない。稀に副作用として眠気の他に口渇がある。

呼吸器疾患治療薬

デキストロメトルファン臭化水素酸塩水和物

Dextromethorphan Hydrobromide Hydrate

非麻薬性中枢性鎮咳薬で、鎮咳効果は麻薬性のものに及ばないが、耐性や依存性がないという利点がある。作用機序は咳中枢の抑制であるが、オピオイド受容体とは異なる受容部位に結合することによると考えられている。

メジコン

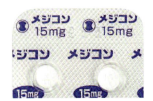

後 アストマリ
後 デキストロメトルファン臭化水素酸塩「トーワ」「日医工」「NP」

効能・効果	感冒、急性気管支炎、慢性気管支炎、気管支拡張症、肺炎、肺結核、上気道炎（咽喉頭炎、鼻カタル）、気管支造影術及び気管支鏡検査時の咳嗽	用法・用量	1回15～30mgを、1～4回経口投与
禁忌	本剤の成分に対し過敏症の既往歴のある患者、MAO阻害剤投与中の患者	副作用	重大な副作用：呼吸抑制、ショック、アナフィラキシー
半減期	3.2時間（デキストロメトルファン）、2.7時間（活性代謝物デキストロメトルファン）		

デキストロメトルファン臭化水素酸塩水和物

表　歯科医院で処方される主な併用薬との相互作用

併用薬		相互作用	方策	
抗菌薬	サワシリン（アモキシシリン水和物）	特になし	○	処方可
	ケフラール（セファクロル）	特になし	○	処方可
	フロモックス（セフカペン ピボキシル塩酸塩水和物）	特になし	○	処方可
	メイアクトMS（セフジトレン ピボキシル）	特になし	○	処方可
	クラリシッド、クラリス（クラリスロマイシン）	特になし	○	処方可
	ジスロマック（アジスロマイシン水和物）	特になし	○	処方可
	クラビット（レボフロキサシン水和物）	特になし	○	処方可
抗炎症薬および鎮痛薬	カロナール（アセトアミノフェン）	特になし	○	処方可
	SG（イソプロピルアンチピリン、アセトアミノフェン、アリルイソプロピルアセチル尿素、無水カフェイン）	特になし	○	処方可
	ロキソニン（ロキソプロフェンナトリウム水和物）	特になし	○	処方可
	ボルタレン（ジクロフェナクナトリウム）	特になし	○	処方可
抗真菌薬または抗ウイルス薬	フロリード（ミコナゾール）	特になし	○	処方可
	イトリゾール（イトラコナゾール）	特になし	○	処方可
	バルトレックス（バラシクロビル塩酸塩）	特になし	○	処方可
	ゾビラックス（アシクロビル）	特になし	○	処方可
局所麻酔薬	エピリド、オーラ、キシロカイン（アドレナリン含有リドカイン塩酸塩）	特になし	○	処方可
	シタネスト-オクタプレシン（プロピトカイン塩酸塩・フェリプレシン）	特になし	○	処方可
胃粘膜保護薬	ムコスタ（レバミピド）	特になし	○	処方可

……処方可　……慎重を要する　……減量、休薬など　……併用禁忌／原則禁忌

One Point　副作用で眠気があり診療には注意

　鎮咳剤で歯科領域で投与する薬剤との併用禁忌や併用注意はないが、重要な副作用として眠気を催すことがあるので、診療中及び自動車の運転による帰宅には注意が必要である。

呼吸器疾患治療薬

Budesonide Formoterol Fumarate Hydrate

ブデソニド・ホルモテロールフマル酸塩水和物

ブデソニドは、特有の動態学的特性を示す糖質コルチコイドである。吸入ブデソニドは、主に気道組織内で可逆的脂肪酸エステル化を受けるが、この特性はブデソニドの持続的な局所組織結合及び抗炎症作用に寄与すると考えられる。ホルモテロールは、長時間作用型のβ₂刺激剤である。シムビコートは、気管支保護作用及び肺浮腫抑制作用で認められた相乗作用の機序は明らかになっていないが、長時間作動型吸入β₂刺激剤のクラスエフェクトと考えられ、その機序の1つとしてβ₂刺激剤が糖質コルチコイド受容体の核移行を促進することが提唱されている。

シムビコート

後 ブデホル
「ニプロ」「JG」「MYL」

効能・効果	気管支喘息、慢性閉塞性肺疾患（慢性気管支炎・肺気腫）の諸症状の緩解	用法・用量	1回2吸入を1日2回吸入投与
禁忌	有効な抗菌剤の存在しない感染症、深在性真菌症の患者、本剤の成分に対して過敏症（接触性皮膚炎を含む）の既往歴のある患者	副作用	重大な副作用：アナフィラキシー、重篤な血清カリウム値の低下
半減期	（BUD）約3時間、（FOR）約6時間		

ブデソニド・ホルモテロールフマル酸塩水和物

表　歯科医院で処方される主な併用薬との相互作用

併用薬		相互作用	方策
抗菌薬	サワシリン（アモキシシリン水和物）	特になし	○ 処方可
	ケフラール（セファクロル）	特になし	○ 処方可
	フロモックス（セフカペン ピボキシル塩酸塩水和物）	特になし	○ 処方可
	メイアクトMS（セフジトレン ピボキシル）	特になし	○ 処方可
	クラリシッド、クラリス（クラリスロマイシン）	特になし	○ 処方可
	ジスロマック（アジスロマイシン水和物）	特になし	○ 処方可
	クラビット（レボフロキサシン水和物）	特になし	○ 処方可
抗炎症薬および鎮痛薬	カロナール（アセトアミノフェン）	特になし	○ 処方可
	SG（イソプロピルアンチピリン、アセトアミノフェン、アリルイソプロピルアセチル尿素、無水カフェイン）	特になし	○ 処方可
	ロキソニン（ロキソプロフェンナトリウム水和物）	特になし	○ 処方可
	ボルタレン（ジクロフェナクナトリウム）	特になし	○ 処方可
抗真菌薬または抗ウイルス薬	フロリード（ミコナゾール）	特になし	○ 処方可
	イトリゾール（イトラコナゾール）	特になし	○ 処方可
	バルトレックス（バラシクロビル塩酸塩）	特になし	○ 処方可
	ゾビラックス（アシクロビル）	特になし	○ 処方可
局所麻酔薬	エピリド、オーラ、キシロカイン（アドレナリン含有リドカイン塩酸塩）	アドレナリンは不整脈、場合によっては心停止を起こすおそれがある	慎重を要する
	シタネスト-オクタプレシン（プロピトカイン塩酸塩・フェリプレシン）	特になし	○ 処方可
胃粘膜保護薬	ムコスタ（レバミピド）	特になし	○ 処方可

……処方可　　……慎重を要する　　……減量、休薬など　　……併用禁忌／原則禁忌

One Point　局所麻酔薬投与には注意

本剤は口腔内への吸入投与のみの薬剤である。局所麻酔薬でアドレナリン含有のものは、アドレナリン作動性刺激の増大が生じ、不整脈を起こすことがあるので、他の注射薬に変更することが望ましい。また、三環系抗うつ薬（トリプタノールなど）との併用には注意が必要である。

呼吸器疾患治療薬

Montelukast Sodium
モンテルカストナトリウム

モンテルカストは、システイニルロイコトリエン タイプ1 受容体（$CysLT_1$ 受容体）に選択的に結合し、炎症惹起メディエーターである LTD_4 や LTE_4 による病態生理学的作用（気管支収縮、血管透過性の亢進、及び粘液分泌促進）を抑制する。

シングレア

キプレス

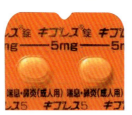

後 モンテルカスト
「アスペン」「オーハラ」「科研」「ケミファ」「サワイ」「サンド」「三和」「ゼリア」「タカタ」「タナベ」「武田テバ」「ツルハラ」「トーワ」「日医工」「日新」「ニットー」「ニプロ」「日本臓器」「ファイザー」「フェルゼン」「明治」「AA」「CEO」「CMX」「DSEP」「EE」「JG」「KM」「KN」「KO」「SN」「TCK」「YD」

効能・効果	気管支喘息、アレルギー性鼻炎	用法・用量	気管支喘息 10mg を 1 日 1 回就寝前に経口投与 アレルギー性鼻炎 5～10mg を 1 日 1 回就寝前に経口投与
禁忌	本剤の成分に対し過敏症の既往歴のある患者	副作用	重大な副作用：アナフィラキシー、血管浮腫、劇症肝炎、肝炎、肝機能障害（0.01％）、黄疸、中毒性表皮壊死融解症（Toxic Epidermal Necrolysis：TEN）、皮膚粘膜眼症候群（Stevens-Johnson 症候群）、多形紅斑（0.01％）、血小板減少

半減期 4.6 時間

モンテルカストナトリウム

表　歯科医院で処方される主な併用薬との相互作用

併用薬		相互作用	方策	
抗菌薬	サワシリン（アモキシシリン水和物）	特になし	◯	処方可
	ケフラール（セファクロル）	特になし	◯	処方可
	フロモックス（セフカペン ピボキシル塩酸塩水和物）	特になし	◯	処方可
	メイアクトMS（セフジトレン ピボキシル）	特になし	◯	処方可
	クラリシッド、クラリス（クラリスロマイシン）	特になし	◯	処方可
	ジスロマック（アジスロマイシン水和物）	特になし	◯	処方可
	クラビット（レボフロキサシン水和物）	特になし	◯	処方可
抗炎症薬および鎮痛薬	カロナール（アセトアミノフェン）	特になし	◯	処方可
	SG（イソプロピルアンチピリン、アセトアミノフェン、アリルイソプロピルアセチル尿素、無水カフェイン）	特になし	◯	処方可
	ロキソニン（ロキソプロフェンナトリウム水和物）	特になし	◯	処方可
	ボルタレン（ジクロフェナクナトリウム）	特になし	◯	処方可
抗真菌薬または抗ウイルス薬	フロリード（ミコナゾール）	特になし	◯	処方可
	イトリゾール（イトラコナゾール）	特になし	◯	処方可
	バルトレックス（バラシクロビル塩酸塩）	特になし	◯	処方可
	ゾビラックス（アシクロビル）	特になし	◯	処方可
局所麻酔薬	エピリド、オーラ、キシロカイン（アドレナリン含有リドカイン塩酸塩）	特になし	◯	処方可
	シタネスト - オクタプレシン（プロピトカイン塩酸塩・フェリプレシン）	特になし	◯	処方可
胃粘膜保護薬	ムコスタ（レバミピド）	特になし	◯	処方可

……処方可　……慎重を要する　……減量、休薬など　……併用禁忌／原則禁忌

One Point　血管浮腫の副作用に注意

　歯科で処方する薬剤と主だった相互作用はない。頻度は不明だが、重大な副作用として血管浮腫、また、0.1～1%未満での口渇が現れることがある。

保険に生かせて不定愁訴にも効く

口腔漢方 処方早わかりガイド

王 宝禮 著

COVID-19重症化予防に効果があるといわれている漢方薬、他コラム多数

CONTENTS

- 1章 疾患別・西洋薬の次の一手に漢方処方
- 2章 歯科で処方頻度の高い漢方薬32種
- 3章 漢方薬の副作用＆相互作用
- 4章 漢方薬保険処方の手引きQ&A

　口腔乾燥症や抜歯後疼痛・歯痛、口内炎などの不調を訴えてくる患者に対し、西洋薬を処方しても効果や改善がみられず、お困りの術者も多いのではないか。
　そこで西洋薬の次の一手として副作用が少なくマイルドな効き目の「漢方薬」をオススメしたい。
　本書では歯科で有効な32種の漢方薬を選出し、体質別に処方薬を提示。また、意外と知られていない歯科保険適用の漢方薬11種にも言及し、日常保険請求に生かせること間違いなし。

漢方薬を処方している全国の歯科医院の先生の声や体験談をご紹介

VOICE 1 慢性歯周炎の排膿が漢方薬で減少したことを経験しました（国際歯周内科学研究会代表理事／青森県開業・津島歯科／津島克正先生）

VOICE 2 長期にわたり口内炎がひどく、西洋薬と併用して漢方薬を投薬したら痛みが軽減しました（日本歯周病学会専門医／長野県開業・原山歯科医院／原山周一郎先生）

VOICE 3 口の中が乾いてよく水を欲する患者さんに漢方薬の有効性を感じました（日本歯周病学会専門医／東京都開業・大森東歯科クリニック／板井丈治先生）

●サイズ:B5判　●104ページ　●定価5,500円（本体5,000円+税10%）

クインテッセンス出版株式会社

併用禁忌の記載がある掲載薬の一覧

▼投与薬について抽出し、歯科で処方される薬を含むものを赤背景とし、かつ歯科で使われる薬を赤字で示す。

	一般名	添付文書の〔禁忌〕における記載内容
漢方薬	茵蔯蒿湯（インチンコウトウ）	特になし
	黄連湯（オウレントウ）	特になし
	葛根湯（カッコントウ）	特になし
	五苓散（ゴレイサン）	特になし
	芍薬甘草湯（シャクヤクカンゾウトウ）	特になし
	十全大補湯（ジュウゼンタイホトウ）	特になし
	小柴胡湯（ショウサイコトウ）	インターフェロン製剤を投与中の患者
	排膿散及湯（ハイノウサンキュウトウ）	特になし
	半夏瀉心湯（ハンゲシャシントウ）	特になし
	白虎加人参湯（ビャッコカニンジントウ）	特になし
	補中益気湯（ホチュウエッキトウ）	特になし
	立効散（リッコウサン）	特になし

漢方薬

漢方薬の副作用、相互作用、注意事項

王　宝禮
大阪歯科大学歯科医学教育開発センター

1. 漢方薬の副作用（有害作用）

漢方薬は、その成分のほとんどが自然界にある草根木皮を起源とするため、副作用（有害作用）や相互作用が少ないと考えられていた。しかし、漢方薬の使用が広がるに従って、以前から知られていた副作用に加え、特異な副作用や相互作用が報告されるようになった。

表1には漢方薬の投薬による経験的に知られている副作用を、**表2**には処方レベルでの副作用を挙げる。**表3**には、生薬成分の化学物質としての副作用を提示する。また**表4**には、漢方薬の投与に際する注意事項、**表5**には歯科で使用される主な漢方薬を提示し、それらの効能または効果（適応）と相互作用のある併用薬を列挙する。

2. 代表的な漢方薬の副作用

1）薬剤性間質性肺炎

厚生省中央薬事審議会による「1994年1月以降小柴胡湯の副作用の疑いで88人が間質性肺炎を発症、10人が死亡」の発表で、漢方薬の安全神話は崩された。間質性肺炎の誘因薬には、小柴胡湯などいくつかあるが、服用後1週間～半年で、発熱、乾性咳嗽、呼吸困難などの感冒様症状から発症する。発症後はただちに服用を中止させ、捻髪音や胸部X線上間質性肺炎像の有無を調べるとともに、必要に応じ胸部CT、動脈血酸素の分析を行う。軽症は服用中止後経過観察、中等度以上はステロイドパルス療法を含むステロイドの使用、呼吸困難例では呼吸管理を行う。

小柴胡湯は、インターフェロン投与中や肝硬変、

表1 経験的に知られている副作用[1]

消化器症状	皮膚症状	胎児への影響	自律神経系
胃部不快感 食欲不振 悪心 嘔吐 軟便 下痢	アレルギー症状 ・発疹 ・蕁麻疹 ・掻痒	胎児に対する漢方薬の安全性は確立していない。 危険性を上回ると判断できる場合を除き、処方を控える。	不眠 発汗過多 頻脈 動悸 全身脱力感 精神興奮
✓ 注意患者 ➡ 胃腸虚弱	✓ 注意患者 ➡ アレルギー既往歴		

表2 処方レベルで知られている副作用[1]

間質性肺炎	肝機能障害	膀胱炎症状	横紋筋融解症
熱 咳嗽 呼吸困難	黄疸	頻尿 残尿感 排尿時痛 血尿	脱力感 筋肉痛 筋力低下 四肢痙攣 麻痺

表3 漢方薬(生薬)における副作用と使用上の注意[1]

生薬とその成分など		起こりうる副作用など	使用上の注意
麻黄	エフェドリン 　——交感神経興奮様作用 プソイドエフェドリン 　——炎症性作用	狭心症発作誘発、不整脈悪化、血圧上昇、不眠、動悸、頻脈、発汗過多、尿閉、食欲低下、心窩部痛、腹痛、下痢	虚血性心疾患、重症高血圧、腎障害、前立腺肥大、高齢者には特に注意 交感神経興奮様作用を有する薬物と相乗作用がある
甘草	グリチルリチン	偽アルドステロン症 (脱力感、浮腫、低カリウム血症など)	漢方薬併用時はグリチルリチン製剤、利尿薬との併用時に起こりやすい
大黄	センノシド類 瀉下作用	過量投与で腹痛、下痢 胃腸虚弱(虚証)では微量でも起こる	下痢傾向の者、兎糞状の者には要注意 大黄で下痢する者は虚証と考えるべき
附子	アコニチン メサコニチン	過量投与で中毒症状(吐き気、動悸、冷汗、重篤な例では不整脈、血圧低下)	小児は中毒が起こりやすく原則として使用しない 陽証で副作用が起こりやすい
人参	人参サポニン類	のぼせ、湿疹、蕁麻疹、皮膚炎の悪化、まれに長期投与例で血圧上昇を見る	陽証・実証の体質者に副作用が起こりやすい
地黄	マンニノトリオース	嘔気、胃痛、食欲低下、腹痛、下痢	胃下垂傾向が顕著な者で起こりやすい
桃仁	青酸配糖体 (アミグダリン)	過量投与で腹痛、下痢、めまい、嘔吐	妊婦、下痢および出血しやすい人に注意
芒硝	硫酸ナトリウム	過量投与で腹痛、下痢	妊婦、胃腸の弱い人、寒証の人に注意

表4 漢方薬の投与に際する注意事項

禁忌

漢方薬使用における禁忌

・小柴胡湯
(1)インターフェロン投与中 (2)肝硬変、肝臓癌 (3)慢性肝炎における肝機能障害で血小板数が 10 万 /mm³ 以下の患者

・甘草を 1 日量 2.5g 以上含有する方剤
(1)アルドステロン症 (2)ミオパチー (3)低カリウム血症の患者
該当方剤:黄芩湯、黄連湯、甘草湯、甘麦大棗湯、桔梗湯、芎帰膠艾湯、桂枝人参湯、五淋散、炙甘草湯、芍薬甘草湯、芍薬甘草附子湯、小青竜湯、人参湯、排膿散及湯、半夏瀉心湯、附子理中湯

・紫雲膏
(1)本剤の成分に対し過敏症の既往歴 (2)重度の熱傷・外傷 (3)化膿性の創傷で高熱がある (4)患部の湿潤やただれのひどい患者

西洋薬との併用禁忌

・小柴胡湯
インターフェロン製剤;間質性肺炎を発症、死亡例の報告

主な相互作用

・**A**甘草含有製剤 **B**グリチルリチン酸製剤 **C**ループ系利尿薬 **D**サイアザイド系利尿薬に共通してみられる相互作用
偽アルドステロン症を発症しうる。また、低カリウム血症によるミオパチーを生じやすくなる。甘草は薬剤のほか、食品にも使用されている

・**E**麻黄含有製剤 **F**エフェドリン製剤 **G**モノアミン酸化酵素阻害薬 **H**甲状腺製剤 **I**カテコールアミン製剤 **J**キサンチン系製剤に共通してみられる相互作用
薬剤の交感神経刺激作用が増強され、不眠、動悸などを生じやすくなる

その他　大黄、芒硝は瀉下作用のある薬剤との併用に注意

漢方薬

表5 歯科で使用される主な漢方薬[2, 3]

漢方薬	効能または効果	相互作用のある主な併用薬
茵蔯蒿湯 (インチンコウトウ)	尿量減少、やゝ便秘がちで比較的体力のあるものの次の諸症： 黄疸、肝硬変症、ネフローゼ、じんましん、口内炎	なし
黄連湯 (オウレントウ)	胃部の停滞感や重圧感、食欲不振のあるものの次の諸症： 急性胃炎、二日酔、口内炎	Ⓐ葛根湯、甘草湯 他多数 Ⓑグリチロン、強力ネオミノファーゲンシー Ⓒラシックス、ダイアート Ⓓフルイトラン、ヒドロクロロチアジド
葛根湯 (カッコントウ)	自然発汗がなく頭痛、発熱、悪寒、肩こり等を伴う比較的体力のあるものの次の諸症： 感冒、鼻かぜ、熱性疾患の初期、炎症性疾患（結膜炎、角膜炎、中耳炎、扁桃腺炎、乳腺炎、リンパ腺炎）、肩こり、上半身の神経痛、じんましん	Ⓐ葛根湯、甘草湯 他多数 Ⓑグリチロン、強力ネオミノファーゲンシー Ⓔ葛根湯、麻黄湯 Ⓕエフェドリン、フスコデ、プロバリン、ディレグラ、メチルエフェドリンの単剤、総合感冒薬（多数）Ⓖエフピー Ⓗチラーヂン、チロナミン Ⓘボスミン、プロタノール Ⓙテオドール、ジプロフィリン
五苓散 (ゴレイサン)	口渇、尿量減少するものの次の諸症： 浮腫、ネフローゼ、二日酔、急性胃腸カタル、下痢、悪心、嘔吐、めまい、胃内停水、頭痛、尿毒症、暑気あたり、糖尿病	なし
芍薬甘草湯 (シャクヤクカンゾウトウ)	急激におこる筋肉のけいれんを伴う疼痛、筋肉・関節痛、胃痛、腹痛	Ⓐ葛根湯、甘草湯 他多数 Ⓑグリチロン、強力ネオミノファーゲンシー Ⓒラシックス、ダイアート Ⓓフルイトラン、ヒドロクロロチアジド
十全大補湯 (ジュウゼンタイホトウ)	病後の体力低下、疲労倦怠、食欲不振、寝汗、手足の冷え、貧血	Ⓐ葛根湯、甘草湯 他多数 Ⓑグリチロン、強力ネオミノファーゲンシー
排膿散及湯 (ハイノウサンキュウトウ)	患部が発赤、腫脹して疼痛をともなった化膿症、瘍、癤、面疔、その他癤腫症	Ⓐ葛根湯、甘草湯 他多数 Ⓑグリチロン、強力ネオミノファーゲンシー Ⓒラシックス、ダイアート Ⓓフルイトラン、ヒドロクロロチアジド
半夏瀉心湯 (ハンゲシャシントウ)	みぞおちがつかえ、ときに悪心、嘔吐があり食欲不振で腹が鳴って軟便または下痢の傾向のあるものの次の諸症： 急・慢性胃腸カタル、醗酵性下痢、消化不良、胃下垂、神経性胃炎、胃弱、二日酔、げっぷ、胸やけ、口内炎、神経症	なし
白虎加人参湯 (ビャッコカニンジントウ)	のどの渇きとほてりのあるもの	Ⓐ葛根湯、甘草湯 他多数 Ⓑグリチロン、強力ネオミノファーゲンシー
補中益気湯 (ホチュウエッキトウ)	消化機能が衰え、四肢倦怠感著しい虚弱体質者の次の諸症： 夏やせ、病後の体力増強、結核症、食欲不振、胃下垂、感冒、痔、脱肛、子宮下垂、陰萎、半身不随、多汗症	Ⓐ葛根湯、甘草湯 他多数 Ⓑグリチロン、強力ネオミノファーゲンシー
立効散 (リッコウサン)	抜歯後の疼痛、歯痛	Ⓐ葛根湯、甘草湯 他多数 Ⓑグリチロン、強力ネオミノファーゲンシー

【偽アルドステロン症、低カリウム血症に注意】Ⓐ甘草含有製剤 Ⓑグリチルリチン酸製剤 Ⓒループ系利尿薬 Ⓓサイアザイド系利尿薬
【交感神経刺激作用増強】Ⓔ麻黄含有製剤 Ⓕエフェドリン製剤 Ⓖモノアミン酸化酵素阻害薬 Ⓗ甲状腺製剤 Ⓘカテコールアミン製剤 Ⓙキサンチン系製剤

肝臓癌、慢性肝炎において肝機能を低下させ、また血小板数10万/mm³以下の患者でも禁忌となっている（表4）。一般的に薬剤性の間質性肺炎の発症は、細胞毒性とアレルギー性の機序が考えられているが、漢方薬においては漢方薬に起因するアレルギー性と考えられている。その原因は「半夏」や「黄芩」と報告されているが、全容は明らかではない。

2）偽性アルドステロン症

甘草を含む方薬・食品・酒・菓子を多量摂取すると発症する。甘草の主成分はグルチルリチンだが、これが腎尿細管に存在する酵素（11β-ヒドロキシステロイドデヒドロゲナーゼ）を阻害する作用を持つ。酵素阻害により、変換されずに過剰となったコルチゾールがアルドステロン受容体と結合し、アルドステロン様作用を発揮、偽性アルドステロン症を起こす。

本症は低カリウム血症、浮腫、ミオパチーを生じ、脱力感、筋力低下、筋肉痛、四肢痙攣、麻痺、高血圧を起こす。症状の出現後は、疑惑薬物や食品の中止、血中カリウム値・CPK（クレアチンキナーゼ）・血中や尿中ミオグロビンを測定し、低カリウムを補正する。利尿薬の併用は、発症を促進させることがある。

3）肝機能障害

肝機能障害（黄疸、GOT・GPT 上昇）が発現したら服用を中止させ、肝庇護剤を投与する。

4）心不全・心室頻拍・心室細動

芍薬甘草湯は甘草の含有が多く、高血圧、心不全、低カリウム血症、心室期外収縮、心室頻拍や心室細動を起こし致命傷となることがある。動悸、息切れ、めまい、失神時は即中止し、心電図、胸部X線検査、血中カリウムを調べ、カリウム補正、心不全、不整脈治療を行う。心室細動例は、ただちに除細動を行う。

5）交感神経刺激作用

麻黄は、主成分のエフェドリンが不眠、発汗、頻脈、動悸、全身脱力感、精神興奮を起こす。症状が生じたら、麻黄剤をやめ、全身管理を行う。

6）その他の副作用

大黄、桃仁、牡丹皮、芒硝、牛膝は流早産、大黄は、主成分アントラキノロン誘導体の母乳移行で乳児下痢を起こすので、妊婦や授乳婦は服用しない。漢方薬エキス製剤化用の賦形剤（乳糖）は、乳糖不耐症患者に腹部膨満や下痢を起こす。

3. 漢方薬とニューキノロン系、テトラサイクリン系抗菌薬との相互作用

漢方薬にはカルシウム（炭酸カルシウム、リン酸カルシウム）を多く含む生薬「牡蠣」「竜骨」「石膏」が存在する。これらとニューキノロン系抗菌薬（レボフロキサシンなど）やテトラサイクリン系抗菌薬（ミノサイクリンなど）を同時服用した場合、抗菌薬が漢方薬中のカルシウムとキレートを形成し抗菌薬の効き目が弱くなる可能性がある。炭酸カルシウム、リン酸カルシウムは水に溶けにくいことから、水で抽出されるエキス製剤における含有量は少ない。一方、生薬を凍結乾燥した製剤にはエキス製剤に比してカルシウムが多く含まれるため注意が必要である。

漢方薬には多数の成分が含まれ、いまだに薬効成分のわかっていないものも多く、牛乳との相互作用の可能性については今後の研究が望まれる。

4. ドーピングと漢方薬

ドーピングとは、競技成績向上のため薬物使用を含む物理的方法をとったり、またそれを隠ぺいしたりする行為である。

漢方薬の中には「麻黄（エフェドリンを含む）」「ホミカ（ストリキニーネを含む）」など、明らかに禁止物質を含むものがある。漢方薬は生薬であることから、同じ薬であっても製造元や時期、産地などにより成分が異なることがあり、内容成分の正確な把握が難しい。スポーツ選手の患者では、投薬の際に配慮を要する。

参考文献
1. 王宝禮. 口腔疾患に対する漢方医学 第5回. 漢方処方の副作用と相互作用. 歯薬療法 2018；31(3)：108-113.
2. ツムラ医療用漢方製剤. 東京：ツムラ，2013.
3. 王宝禮. 保険に生かせて不定愁訴にも効く. 口腔漢方処方早わかりガイド. 東京：クインテッセンス出版，2021.

監修者プロフィール

朝波惣一郎

1966 年	東京歯科大学卒業
1984 年	慶應義塾大学医学部 助教授
1988 年	西独マインツ大学顎顔面外科留学
1999 年	中国遼寧中医科大学 客員教授
2007 年	国際医療福祉大学三田病院 教授
2013 年	国際医療福祉大学臨床医学研究センター 教授
2015 年	西麻布口腔外科インプラントセンター センター長

主な著書
『薬 YEARBOOK '19／'20』
クインテッセンス出版, 2019 年（監修）
『このまま使える Dr. も DH も！歯科医院で患者さんにしっかり説明できる本』
クインテッセンス出版, 2017 年（共著）

王 宝禮

1986 年	北海道医療大学歯学部卒業
1992 年	米国フロリダ大学口腔生物学講座 研究員
1995 年	大阪歯科大学薬理学講座講師
2002 年	松本歯科大学薬理学講座 教授・付属病院口腔内科担当
2010 年	大阪歯科大学歯科医学教育開発センター 教授

主な著書
『保険に生かせて不定愁訴にも効く口腔漢方処方早わかりガイド』
クインテッセンス出版, 2021 年
『薬 YEARBOOK '19／'20』
クインテッセンス出版, 2019 年（監修）

矢郷 香

1986 年	東京歯科大学卒業
2010 年	慶應義塾大学医学部専任講師
2011 年	国際医療福祉大学三田病院 歯科口腔外科部長、准教授
	慶應義塾大学医学部 歯科・口腔外科学教室 非常勤講師
2017 年	国際医療福祉大学医学部 准教授
2021 年	国際医療福祉大学三田病院 歯科口腔外科 教授

主な著書
『臨床で遭遇する口腔粘膜疾患に強くなる本』
クインテッセンス出版, 2019 年（共著）
『薬 YEARBOOK '19／'20』
クインテッセンス出版, 2019 年（監修）

QUINTESSENCE PUBLISHING 日本

別冊 the Quintessence

薬（くすり）YEARBOOK '21／'22
患者に聞かれても困らない！
歯科医師のための「薬」飲み合わせ完全マニュアル

2021年10月10日　第1版第1刷発行

監　　修　朝波惣一郎（あさなみそういちろう）／王 宝禮（おう ほうれい）／矢郷 香（やごう かおり）

発 行 人　北峯康充

発 行 所　クインテッセンス出版株式会社
　　　　　東京都文京区本郷3丁目2番6号　〒113-0033
　　　　　クイントハウスビル　電話(03)5842-2270(代表)
　　　　　　　　　　　　　　　　(03)5842-2272(営業部)
　　　　　　　　　　　　　　　　(03)5842-2276(編集部)
　　　　　web page address　https://www.quint-j.co.jp

印刷・製本　株式会社創英

Ⓒ2021　クインテッセンス出版株式会社　　　禁無断転載・複写
Printed in Japan　　　　　　　　　　　　　落丁本・乱丁本はお取り替えします
ISBN978-4-7812-0831-2　C3047　　　　　　　定価は表紙に表示してあります